U0110303

30 元代～明代

西元 1277～1643 年

［注音本］

全新 吳姐姐講歷史故事

吳涵碧◎著

目錄

【第648篇】

明教吃菜事魔。

在上一回，我們說到，元朝末年『貧極江南，富誇塞北』（蒙古人吃得撐飽，漢人南人卻是餓得要命），於是，各地紛紛掀起抗暴，凡是起事者，都歡喜用明教自我標榜。

明教有個不好聽的代稱『吃菜事魔』，吃菜指的是吃齋食素。事魔則是因為耶穌畫像藍眼睛、高鼻子、黃頭髮，鄉下人看著不習慣，認為是魔鬼，既然是拜洋魔神，又稱之為魔教。

魔教當然不是現在的基督教，它是中國民間社會一種混雜的宗教，其來源可以上推到唐朝，是波斯人摩尼創的摩尼教。

摩尼教，又稱爲明教，或稱末尼教、牟尼教，教義主張過去、現在、未來合一，教徒須守摩尼戒，不飲酒，不祭拜祖先，死後裸葬。它主要的道理是說，世界上有光明與黑暗兩種力量，明是善是理，暗是惡是欲，光明一出，黑暗消滅，最後人類走向光明極樂的世界。

在武則天時代，摩尼教傳入中國，玄宗開元二十年禁止，理由是『摩尼法本是邪見。』

玄宗雖然禁止邪見，但是不久，安史之亂爆發，唐朝打不過，向回紇借兵，收復京師，不少回紇人篤信摩尼教，於是摩尼教借屍還魂，又回到

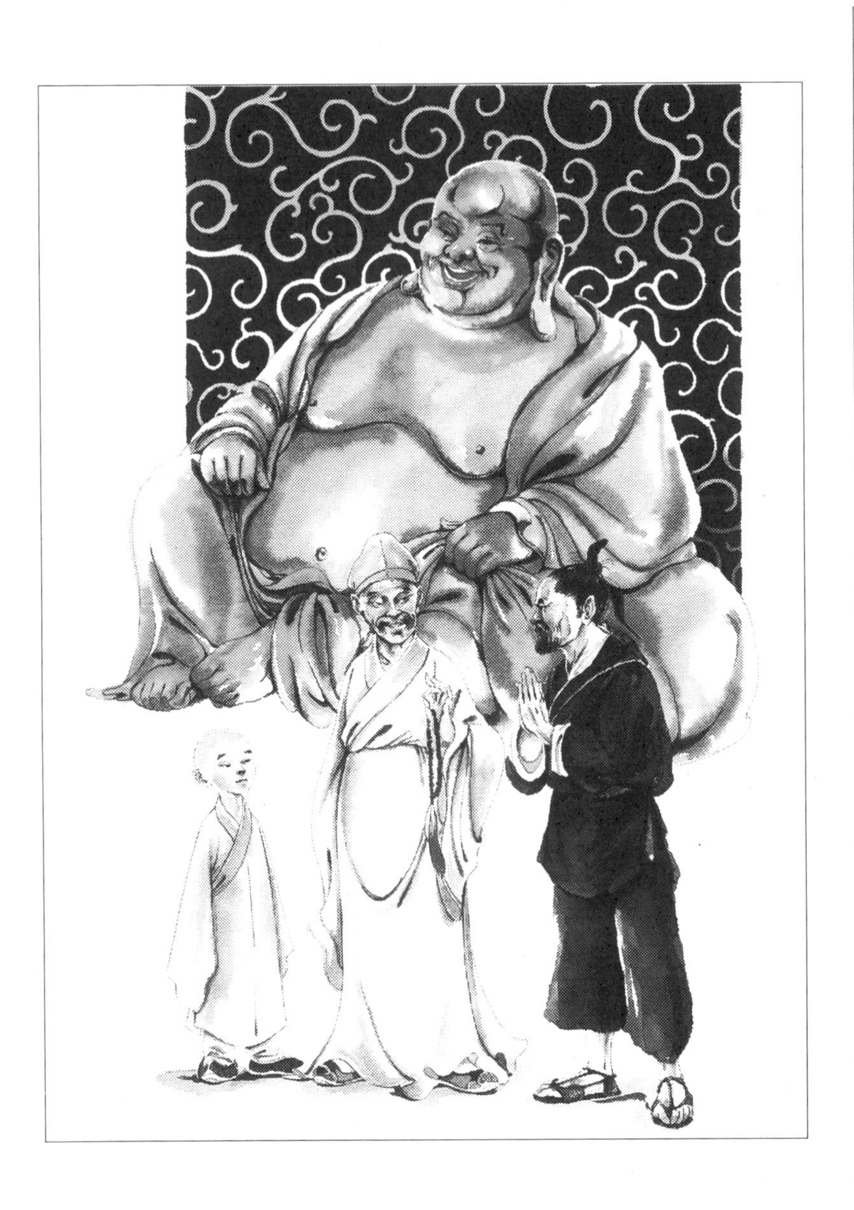

中國社會。唐朝政府畏懼回紇，不得不允許摩尼教傳教，唐代宗大曆三年在長安與洛陽建立摩尼教的廟宇，賜名爲『大雲光明寺』，教徒逐漸增多。

然而，唐朝君主對摩尼教始終沒好感。這一群穿白衣服、戴白帽子、不到天黑不吃飯的摩尼教徒，看起來怪怪的。因此，唐文宗時代，回紇內亂，唐朝政府便對摩尼教施以打擊。唐武宗滅佛之時，也全面禁絕摩尼教，而且處死七十二名女摩尼。自此以後，摩尼教公開傳教中止，卻轉而秘密在民間社會流傳。

由於中國社會困苦，明教又宣揚黑暗將過去，光明就會到來，許多揭竿起義的人，就會利用明教吸收群眾。北宋時代，福建南部有不少明教教徒，後來又從福建傳到浙江，光是溫州就有明教齋堂四十多個，管理教會的人稱爲侍者、聽者、齋姐與姑婆。到了南宋初年，傳播更廣，也得到『吃菜事魔』這個不雅的名稱。

這個時候的明教，與摩尼教已不相同，又和彌勒教及白蓮教互相混合。彌勒佛是中國社會熟悉的大肚子菩薩，據說，在釋迦牟尼死了以後，世界就開始變壞了，人的心腸惡毒了，收成也變得不好，幸虧，釋迦牟尼死前曾預言：『大家別擔心，再過幾年，會有彌勒佛出世。』人們想像彌勒佛是笑口常開，心廣體胖，笑呵呵的模樣。

這個彌勒佛是救世菩薩，只要他一出現，到處是清澄澄的水池，碧森森的樹林，芳草遍地，花香撲鼻，每個人都變得好心腸，人人爭先恐後做好事，不愁生老病死，稻麥一年有七次的收成，更美妙的是，用不著拔草鋤田，就會自然長大，只要等著收割就好了。

對於辛勤努力，都永遠賺不得溫飽的農民而言，不論明教教主，或是彌勒佛都給他們帶來甜蜜美麗的夢。信仰西方的耶穌或是東方的彌勒佛，對他們而言，差別不大，也沒有誰有興趣研究教義，反正是救世主就對了。信彌勒佛的人也穿上白衣服、白帽子，也相信世界上有明與暗兩種力量。至於白蓮教，信仰阿彌陀佛，死後到西方淨土白蓮地上，過著幸福愉快的日子，也與彌勒教合而爲一。

總之，不論明教、彌勒教、白蓮教都是不滿現實社會，相信有一天會有『明王』或是『彌勒佛』出世，大家聽從他的英明領導，改造這個世界。所以，從隋唐之後，尤其到了朝代末年，人民苦不堪言，明王或彌勒佛出現的傳言，就會不脛而走。

正因爲人們心中埋藏這個願望，當韓山童用『石人一隻眼，挑動黃河天下反』造勢，再派人放出空氣，彌勒佛誕生了，人們才會如痴如狂。

另外，教會總是比較有組織，教友可互相幫忙，中國農民受地主壓迫，忍氣吞聲，一籌莫展。如今能夠聚在一塊，同病相憐，互相給予精神上的支持，共同祈禱美麗新世界的來臨，精神上得到一些安慰鼓勵，這也是民間教會力量茁長的原因。

教會裏也流傳一些順口溜，吐露人們對現狀的不滿：『天高皇帝遠，民少相公多，一日三遍打，不反待如何。』『堂堂大元，奸佞當權，開河變鈔禍根源，惹紅巾萬千，官法濫，刑法重，黎民怨。人吃人，鈔買鈔，何曾見，賊做官，官做賊，混賢愚，哀哉可憐！』

由於明教代表人們的希望，所以朱元璋滅元朝之後，號爲大明，意思是說，他就是民間傳說中的明王、救世主，五百年來的秘密傳說，可以告一個段落了。朱元璋原是小明王的部將，他害死小明王，繼之而起，仍然捨不得去掉『明』字。

元末群雄，個個擁抱這個『明』字，其中大有道理。

閱讀心得

【第649篇】

朱元璋偷吃烤小牛。

元朝末年，中國大亂，群雄並起，不論是方國珍、張士誠、陳友諒都是胸無大志的草莽英雄，成不了氣候。唯有朱元璋與眾不同，雄才大略，因此最後剷平群雄，建立了明朝。

朱元璋生於元朝天曆元年九月十八日，屬龍，原名朱重八，元璋是以後投靠到郭子興帳下之時才起的名字。

當時，蒙古人壓迫漢人，甚且漢人無職的百姓，連名字也不許取。一般人只能用父母，或者祖父母的年齡當作孩子的名字，例如李家小娃娃生下來的時候，祖父五十歲，於是他便被喚作李五十，眞是可笑又可悲。

朱元璋的父親是個老實可憐的佃農，名叫朱五四。後來跟著朱元璋打天下的湯和父親叫湯七一，常遇春的父親叫常六六，因爲都是市井百姓，依規定不准取正式的名字，只好一輩子用這可笑的名字。

朱元璋生下來就不討人歡喜，一張小臉皺皺黑黑，充滿了兇相，不曉得爲了什麼，不肯吃奶，肚子脹得圓圓鼓鼓的，大人都說：『這個娃兒怕活不了。』

朱五四做了一個夢，夢裏孩子果然早夭，他驚醒之後，心想，這個小孩命太硬，不如捨給廟裏吧。於是，他抱著小孩就往廟裏跑，反正家裏人

太多，少一口糧食也好。

誰知廟裏半個人影也沒有。朱五四只好把娃兒又帶回家。奇怪的是，這下子娃兒倒會吃奶了，過了幾天，脹得鼓鼓的肚子也消了，就這麼一直病歪歪的長大。

長大以後的朱元璋，變得更難看，粗眉毛，凸眼睛，肥鼻子，大耳朵，從側面看去，頭蓋骨高高隆起，下巴突出一寸，彷彿一個山字，讓人覺得不舒服。但是，雖然一張醜臉，卻透著威嚴與沈著，有著不可侵犯的神氣。

朱元璋歡喜看野台戲，尤其是戲碼中有演皇帝的，他絕對不會錯過。看完了戲，朱元璋就吆喝一群夥伴照著演，當然他總是扮演九五之尊的天子。

他命令小朋友把粽葉撕成一絲絲的長條，紮在嘴上當鬍鬚，再找一方破黃布當龍袍，又弄來一塊被人丟棄的車版做皇冠，就這麼大模大樣在稻草堆上當皇帝。其他小朋友乖乖地手持木片兒，算是朝笏，擔任他的文武百官，並且恭恭敬敬跪在地上不斷磕頭，口裏還不住地高喊：『皇帝萬歲，萬歲，萬萬歲！』

爲什麼小朋友都甘心把朱元璋捧爲皇帝，尊爲領袖？這是有道理的，朱元璋點子多，腦筋活，能帶著大家玩兒，而且敢做敢當有義氣，尤其是經歷了小牛事件以後，衆家小朋友對他是死心塌地，五體投地。

話說一個風和日麗的下午，朱元璋和一群放牛的小朋友們，懶洋洋地靠在籬笆旁邊，日子過得無聊極了。時辰還早，不能回去，怕被田主罵。

其實，回了家，也沒意思，到處鬧災荒，大人們愁眉苦臉，小孩子動輒遭殃挨打。

一連多天，大夥都是吃稀粥過活，再下去只有啃樹皮草根了。周德興的肚子突然咕咕嚕嚕的叫起來了。他拍拍肚皮道：『我的肚子告訴我，它想來一碗白米飯，全是乾飯，亮晶晶的，滿滿的一大碗。』

『是啊，好久沒嘗過白米飯的滋味了，熱騰騰的，淋一點醬油多香！』湯和附和著，口水都要淌出來了。

徐達說：『白米飯算什麼？要吃肉才好哩！』

『你吃過肉？』小毛問道。

『我那吃過，我爸爸都沒吃過，財主們才能吃肉，有次我經過，單單聞那個香味就太棒啦。』

湯和忽然叫起來：『我吃過肉。』

衆人一起對他瞧。湯和搔搔腦袋：『我吃過蚱蜢與菜蟲的肉。』

大家啐了他一口，陷入長長的沈默與無奈之中，強烈的挫折感籠罩在空氣之中。

『有了！』朱元璋大喝一聲，指著蹣跚前來的小牛道，『這不是現成的肉嗎？』他拿起繩子把小牛綁住。周德興掄起斧頭，對小牛一砍。接著，剝皮的剝皮，生火的生火，一會兒工夫，濃香四溢，個個饞涎欲滴。

小朋友們興奮極了，顧不得滾燙的熱氣，忙不迭往嘴裏送。細嫩而香甜的小牛肉是這般可口。尤其他們從來沒吃過肉。

『哇，好吃啊！』

『眞是這輩子沒嘗過的美味！』

小毛拿著一塊肉，對著發愣。

『你幹嘛不吃？』湯和問道。

『我捨不得一下子嚥到喉嚨裏嘛。』

『傻瓜，再不吃就沒了。』

可不是嗎！烤得焦黃油亮香氣撲鼻的小牛，一轉瞬的工夫，只剩下一張皮，一堆骨，一條尾巴了。大家意猶未盡地猛舔手指頭，恨不得把沾了烤肉香氣，油漬漬的手也一併吃掉。

狼吞虎嚥，風捲殘雲之後，太陽下山了，小朋友們開始慌了。『糟了，小牛沒有，怎麼向地主交代！』

湯和指責徐達：『都是你說要吃肉！』

『是誰先挑起話題的？』徐達也不甘示弱。

『哇，我會被媽媽打死。』小毛開始大聲的哭，『都是你們害的！』他哭得驚天動地。

『誰害你？誰吃得搖頭晃腦，連手指頭都快吃下去了！』

眾人們互相指責，個個心裡七上八下，後悔不該一時貪吃，昏了腦袋。

這下子慘矣。

『你們回去，別擔心，一切有我！』朱元璋拍著胸脯道。『主意是我出的，我負全責。』

『你能把小牛變回來嗎？』小毛止住了哭聲。

『反正，你們別管，一切有我！』

朱元璋沈著地把皮骨埋了，把小牛尾巴插在山上石頭縫隙裏，然後沒命似地跑去找地主：『糟了，小牛跑了，快來追！』

地主趕來，只見牛尾巴，朱元璋結巴地解釋：『小牛鑽入山洞，只留下尾巴，我拉了半天，也拉不出來。』

地主在山洞裏找了半天，找不到小牛，氣得把朱元璋狠狠打了一頓。

第二天朱元璋皮開肉綻出現在同伴面前，模樣雖然狼狽，但是他夠義氣，沒把同夥招出來，也贏得了大衆的心。

朱元璋的足智多謀，陰沈狠毒，自小就顯露出來了。

閱讀心得

【第650篇】

朱元璋葬父。

童年時代的朱元璋，一向是個當領袖的孩子王，帶著大家玩朝臣拜皇帝的遊戲，過足了天子的癮，倒還挺有趣的。

但是，每天放牛回家，家裏的日子始終不好過，氣壓低得讓人受不了。朱元璋的父親朱五四是個貧困潦倒的佃農，從安徽句容搬到盱眙，到五十歲時，又遷到鍾離太平鄉孤莊村，不論搬到那裏，都沒法子養家餬口。

這天，朱元璋剛踏進門，就聽到母親陳二娘對父親朱五四說：『老大要娶媳婦了，你去向田主借點兒錢吧！』

五四嘆口氣：『能少交點稅就是福氣了，你沒見他上回來，直嫌麥子太潮，秤的斤兩不夠，嚕嚕囌囌一大堆，誰敢去開口？』

『可是，上回招待田主，雞也宰了，酒也喝了，我們再寒傖，也得請請客人啊。』

『不然，這樣吧，你去申請官家賑濟。』

『那個更麻煩，要身家調查，要蓋手印，折騰了大半天，發下來的全都落入縣官手裏，腿跑斷了，氣受夠了，頭也磕破了，發下來的糧食，還不夠咱們全家吃一頓，我看是算了。』

陳二娘憂傷地說：『總不能花轎都沒有，太委屈人家女孩子了。』

朱雀橋邊
野草
烏衣
夕陽斜
舊時王謝
堂前
飛
百姓

五四也惱了：『委屈什麼，她還不是佃農的女兒，也沒帶嫁妝來，將就將就吧！』

於是，大哥的婚事能省就省，沒有花轎，沒有喜宴，新娘子頭上蓋塊紅布，衆家親友一陣鼓掌，就這麼走進朱家。雖然過於簡陋草率，光景不好，家家都是如此，也就見怪不怪。

第二年，大哥生了一個兒子，二哥也娶了一門媳婦。三哥則入了贅，大姐嫁給王七一，二姐也遠嫁了，就剩朱元璋，還不滿十六歲，在家裏晃來晃去。

中國的農民，一向是吃苦耐勞，逆來順受的，如果不是至正四年一場災荒，朱元璋一定和他的大哥二哥一般，娶一個粗手大脚能幹的媳婦，爲田主耕一輩子的田，縮衣節食，苟延殘喘。

至正四年，淮河流域旱災、蝗災、瘟疫接踵而來。大地裂成一條一條的窟窿，又飛來一群黑壓壓的蝗蟲，啄走了村民僅餘的一丁點兒糧食，大家只好以樹皮草根過活。

也許是環境衛生太惡劣了，一會兒瘟疫四處流行，被感染的人，上吐下瀉，往往一晝夜便魂歸西天。人人都說：『老天爺發脾氣了，要處罰人了，誰也逃不過的。』在這個時候，『易子而食』不是形容詞，中國農村社會遇到饑荒時，經常有人吃人的慘事。

太平鄉的村民能逃的都逃了，其實，逃到那兒也都一樣，附近的村莊無一倖免，全都陷落在世紀大浩劫之中。

朱元璋家中更是禍不單行，先是二嫂、三嫂先後病死，接著，二姊與大姪兒、二姪兒也走了，只是沒死在家裏頭。

不一會兒，朱五四在四月初去世，三天後，大哥跟著走，到二十二日那天，朱元璋的母親陳二娘也死了。

朱元璋在短短半個月中眞是心力交瘁，家裏沒錢，請不起郎中，買不起藥，眼睜睜看著家人一個個撒手歸西，一點辦法也沒有。眼睛哭痛了，眼淚流光了，心也掏空了，貧窮、落後、無知，注定是悲劇下場。

家中直挺挺躺著三具屍體，朱元璋和二哥兩個人到田主家求情：『請看在多年主客關係的情分上，拜託賜一塊埋骨之地。』

田主睬也不睬，狠狠地說：『去去去，別帶來晦氣——』找人把朱家兩兄弟轟了出去，鄰居們看到田主『呼叱昂昂』的嘴臉，也不禁搖頭嘆息：『眞是太沒有人情味了。』

同村人劉繼祖看著不忍心，對朱元璋說：『再不下葬，屍體都要發臭了，這樣吧，我送你們一小塊地，成全你小兄弟的孝心。』

朱元璋大喜過望，在地上連磕了三個響頭：『大恩大德，日後當報。』

墳地有著落了，可是壽衣呢？棺木呢？全都沒錢買。只好就穿平日的衣服了，找了半天，竟然找不到一件稍微像樣，沒有補釘的衣服，只好就用破衣裳隨便包一包，抬到墳地裏。

兄弟二人邊抬邊哭，既哭父母，也哭自身，人生怎麼會這麼慘呢？老天爺似乎還嫌不夠，當他們把父母的屍體抬到了劉繼祖賜的地，突然之間，雷聲隆隆，烏雲密佈，整個天像要塌了下來。

兄弟二人慌慌張張躲到樹下，風大雨急，他們多日未進食，衣裳穿得又單薄，頭暈目眩，若不是平日身體壯，早就垮了下來，兩人緊緊地抱在一塊，淚水又忍不住跟著雨水不斷地滾落。

過了一個時辰，雨停了，太陽出來了，兄弟二人跑過去一看，咦，兩具屍首不見了，原來，一陣大水把土沖塌了，恰好埋住了屍體，形成一個小小的土饅頭，俗話叫『天葬』。

朱元璋用力握緊拳頭：『我再不要過這樣的苦日子，我發誓，我一定要闖出一點名堂來，重新安葬父母親！』

以後，朱元璋一路奮鬥，當他遇到挫折時，總會想起雨中這一幕，帶給他不少激勵。三十五年以後，他當了明朝皇帝，撰寫皇陵碑：『殯無棺槨，被體惡裳，浮掩三尺，奠何殽漿』（下葬沒有棺木，用破衣裳掩蓋屍體，草草安葬，連個祭拜的物品都沒有），他還是激動得忍不住發抖。

寒天飲冰水，點滴在心頭，最痛苦的打擊，往往也能激發一個人的潛力，挫折有時候不是壞事。

閱讀心得

【第651篇】朱元璋捨身皇覺寺。

朱元璋在大風大雨裏埋葬了父母親以後，偌大的朱家只剩下大嫂、二哥和朱元璋自己了。

地方上依舊在鬧旱災，成群的蝗蟲繼續在天空盤旋，彷彿到了世界末日，樹皮草根也快啃光了。朱元璋瞻望前程，茫茫一片。

他掰著手指算算看，投奔祖父嗎？祖父在元朝初年是淘金户，發財夢做了半天，一塊金子也沒挖到，還得拿錢去換金子繳納給官府，最後逃到山裏墾荒，從此不再有音訊。

至於外祖父那邊嗎？外公倒是一個有意思的人，他曾經是宋朝將領張世傑的部下，張世傑與陸秀夫赤膽忠心，保護小皇帝逃到崖山。陸秀夫最後背著皇帝投海而死，張世傑帶了十多條船，殺出重圍，不巧遇上颶風，張世傑也淹死了。外公倒是福大命大，掉到海裏，被好心人撈了起來。從此外公改行當巫師，爲人看風水、定陰陽、畫符咒，一直活到九十九歲才死，差一歲就當了人瑞，可以報官領賞，縣太爺還要請吃酒哩。

外公死後，舅家也沒與朱家多往來，想來當巫師的，情況也不會好到那裏去。但是，朱元璋成天晃來晃去總是不成，他塊頭大，食量也大，就是吃樹皮草根，也要比別人多吃一倍。

發配三千

隔壁的汪媽媽出來說話了：『重八，你還記得嗎？你小時候多病，虧得你娘把你捨身給高彬法師當徒弟，你不如當和尚去，一來還願，二來總比餓死強，廟裏田產多，耕田挖地也不錯啊。』

朱元璋想想，眼前也只有這一條路了，只是捨不得共患難的二哥，兄弟二人，悽悽慘慘抱頭痛哭，互道珍重。

朱元璋跟著汪媽媽，到了孤莊村的皇覺寺，一座普通破敗的小廟，進入大雄寶殿以後，左邊是伽藍殿、右邊是祖師殿，幾個光頭小和尚沒精打采地走來走去。

這些和尚，有的是在外頭犯了法，躲入廟裏，與水滸傳中的魯智深一樣。多半是在外頭混不下去了，廟裏田產多，在這兒混口飯吃。至於說醉心佛法一心參禪的，卻是一個也沒有。

高彬長老是個窩窩囊囊的和尚，和他經營的皇覺寺一般落魄。他收下了朱元璋，朱元璋剃光了頭，當了個小沙彌，從此忙著掃地、上香、打鐘、擊鼓、唸經……

小和尚唸經有口無心，廟裏這些瑣瑣碎碎的小事，不要兩天，他就全學會了。比較傷腦筋的該是師娘的挑剔。

原來高彬長老有妻有子，當時中原河北一帶的和尚都娶老婆，公然居住在佛殿兩廡之中。這個高師娘看不慣朱元璋，不但差遣他洗衣、掃地、煮飯，還要他洗尿壺。

朱元璋儘管家境清貧，仗著自己是老么，從小爹娘兄姐都疼著，在小朋友圈子裏也是孩子王，幾時受過這種氣？每天一早捏著鼻子洗夜壺，他眞是滿肚子的不開心。

還有，師娘生的兩個寶貝兒子，一個比一個頑皮，要依朱元璋以往的性情，非要治一治他們才好，奈何，人在屋簷下，不得不低頭。

可是，這一股怨氣總要找個地方發洩才好，憋在肚子裏會生病的。他腦筋一轉，有了，菩薩不言不語，就把菩薩當成文武百官，他還是扮皇帝，每天對著菩薩耍威風。

有一天，他掃地掃到伽藍殿，不小心摔了一跤，拿起掃帚就打伽藍神，

『你把朕給傷了，該當何罪？』

伽藍神是泥塑木雕，不會講話，只好任朱元璋擺佈。

過了幾天，長老把朱元璋叫去罵：『你是負責打掃伽藍殿的，對不對？』

朱元璋不知出了什麼事，只有點頭。

『伽藍殿的紅燭被老鼠給咬壞了，你知道嗎？一對這麼大的紅燭值多少錢？我們皇覺寺禁得起這般浪費嗎？』說著，長老拿起木板，對著朱元璋的光腦袋敲去，一下就腫了一個大紅包。

朱元璋心想，老鼠愛吃蠟燭，我有什麼辦法？要不是什麼都沒得吃，牠也不會去啃蠟燭啊！

回到伽藍殿，抬頭仰望，伽藍神依舊慈眉善目，朱元璋火了：『你這個笨菩薩，連個老鼠都鎮不住，害朕被師父打，你說，你該當何罪？』

朱元璋愈想愈氣，拿起筆來，在伽藍神的背面用紅筆寫著『發配三千里』，想像自己是手操生死大權的皇帝，把伽藍神發配充軍。

『御筆親批』之後，朱元璋很是得意，拍拍手，坐下來，欣賞自己的傑作，遙想當年，眾家小朋友給自己磕頭的場面，忍不住哈哈大笑。

這一切，全給躲在背後的高彬長老看見了，他簡直不敢相信自己的眼睛，竟然有人如此大不敬對待菩薩，但是朱元璋滿臉兇相，長老也不敢惹，『這人連菩薩都敢欺負，我還是小心一點比較好。』長老終於沒有當面斥責朱元璋。

閱讀心得

【第652篇】朱元璋化緣。

話說高彬長老親眼看到朱元璋欺負菩薩，趕緊回去找老婆商量。師娘撇嘴道：『這個小廝，我一眼看他，就不是個好東西，留下來是個禍害。再說最近鬧災荒，老天不下雨，地都曬白了，我們也收不到租金，不如打發一些走路，到外頭化緣去。』

高彬長老想想也有道理，召集所有和尚宣佈：『皇覺寺成立到今天，也有幾百年的歷史了，想不到今天也會發生這種事，佃戶都繳不出收成，老天不幫忙，怪不得佃户。我這個長老也變不出糧食來，各位各自找生路吧。』

朱元璋好容易才找到一個落脚的地方，算算日子，他到皇覺寺才滿五十天，又要捲鋪蓋。眞是命運不濟。

他學著師叔師伯，頂著笠帽，敲著木魚，捧著瓦鉢，化緣去了。

朱元璋心想，現在到處在鬧飢荒，善男信女想做好事也沒能力，如果要化緣，還是得找富庶的地方，於是，先往合肥去。

他每到一地，四下打探，尋找目標，總是揀那房舍富麗堂皇的，然後開始大聲敲木魚，他不敢靠得太近，因爲若是內有惡犬，跑出來咬人就糟了，俗語說狗眼看人低，他穿得破破爛爛，一副獐頭鼠目狼狽相，也難怪

狗兒誤以爲是樑上君子。

朱元璋頗有鍥而不捨的精神，他知道不斷地大聲敲，惹人心煩，總會有人把門打開，多少佈施一些。

如果主人相應不理，朱元璋就繼續咚咚敲個不停，敲得聲震屋瓦。這時，左鄰右舍都跑出來，沒人敢罵出家人，合起來責怪富戶：『眞是爲富不仁噢。』最後逼得主人非在化緣簿上簽上一筆，才能破財消災。

朱元璋口才好，臉皮厚，自小練就撒謊不打草稿的本事，他總是胡吹亂蓋，一下子說是『天台山國清寺，佛殿正要翻修』，一會兒又吹牛：『普陀寺菩薩開光……』反正誰也不會去查，反正不會說自己是『鐘離皇覺寺』的。這種小廟，提起來丟臉。

就這樣，敲著木魚，捧著瓦鉢，朱元璋走過固始、光州、息州、羅山、信陽、汝州、陳州、亳州、亮州、穎州，嘗盡了人生艱辛，他後來在『皇陵碑』文中記述這段日子，晚上多半投宿古寺，若是找不到廟，找塊石頭一靠也將就過去了，夜半醒來聽到嗚咽的猿聲，想到身世的淒涼，覺得：『身如蓬草般被風追來逐去，一顆心熱滾滾如沸湯般翻攪。』

朱元璋化緣的地方，正是和尚彭瑩玉在協助周子旺起事失敗後，落腳隱居之地，他在這兒積極宣揚彌勒教，揚言彌勒佛出世，天下將太平。朱元璋耳濡目染，多少對彌勒教有點兒印象。

後來，朱元璋到亳州、穎州，又是韓山童、劉福通白蓮教的根據地，他東聽聽、西看看，倒也增長了不少見聞。

如此春去秋來，一晃過了三年多，朱元璋的足跡踏遍了淮西名州大邑，流浪生涯使他了解了各地的民情風俗，增長了社會見聞，也鍛鍊了堅強的體魄與意志力，整個人成熟不少。

二十歲那年，至正十一年（公元一三五一年），天下開始大亂，朱元璋得不到人家佈施，又回到老家皇覺寺。

他在寺內卻很留心外邊的狀況，一下子傳來元兵失陷襄陽，一下子有人說芝麻李佔據了徐州，說的人口沫橫飛，聽的人心花怒放。朱元璋也蠢蠢欲動，卻又不敢有所行動。

有一天，他接到一封信，是孩童時代夥伴捎來的，慫恿他去參加紅軍，起義革命。

朱元璋又驚又喜又害怕，一個人走過來，踱過去，拿不定主意，爲了小心起見，他把信在長明燈的燭前燒了。

可是，奇怪的是，有個要好的夥伴，趁著四下無人，偷偷警告他：『你前日得著的信，廟裏有人知道了，要到官府去告你。』

這是非同小可的大事，朱元璋情急之下，一口氣跑到村莊裏找湯和，湯和是他小時候的玩伴，兩人一塊偷烤小牛的好朋友。

湯和說：『茲事體大，我也不敢幫你下決定，不如去問問菩薩吧。』

『不成，我拿掃帚打過菩薩。』

『你這個和尚也太頑皮了，不過，菩薩器大量大，不會計較的。』

他兩人邊笑邊談，回到皇覺寺，卻發現廟裏火光熊熊，烈焰沖天，僧房齋堂全燒光了，大小和尚也全都不見了。打聽之下才知道，原來官府擔心佛寺裏藏有彌勒佛，把附近的寺廟全給放火燒了。

幸好，曾經被朱元璋『發配三千里』的伽藍神還在，朱元璋小聲地說：『菩薩啊，念在我天天打掃的份上，原諒我的過錯，指點我的迷津吧！』他恭恭敬敬對伽藍神磕了三個響頭，心中默道：『如果陽筊，出境避難；如果一陰一陽，守住皇覺寺；如果陰筊，則投靠紅軍。』

他用力的一擲，哇，陰筊，朱元璋不想當兵，他說：『這次不算，再來一次。』再來一次的結果，還是二陰。

朱元璋一連擲了好多回，全都是陰筊，湯和在旁邊慫恿道：『看來菩薩也主張你去投靠紅軍了？』

第二天，朱元璋離開皇覺寺，投奔紅軍去了。

閱讀心得

【第653篇】

朱元璋投奔郭子興。

在上一回中，我們說到，朱元璋平時『打菩薩』，臨時抱佛脚。結果，伽藍神也指示他造反，於是，他便大步投向紅軍。

至正十二年三月初一的早上，太陽剛剛昇起，朱元璋到了濠州城下。這時，紅軍攻下濠州不久，戒備森嚴，守衛的士兵個個弓滿弦，刀出鞘，神情緊張注視著四面八方，隨時提防元軍反撲。

忽然之間，守兵發現一個高頭大馬，披著破爛袈裟，頭上綁著紅巾的醜和尚，急忙喝住：『你是什麼人？要來做什麼？』

原來，這是朱元璋前來投靠紅軍。

『我要見你們的郭元帥。』朱元璋大聲地說明來意。

『元帥也是你要見便見的嗎？誰曉得你是不是元軍派來的奸細。來呀，把這個來歷不明的和尚綁了起來。』守兵瞅著朱元璋，直覺來者不善。

朱元璋身強力壯，普通幾個守兵還沒法子把他制伏，折騰了大半天，終於把他五花大綁綑了起來，準備以元軍奸細的罪名處死。

另一方面，早有人跑去向郭元帥打小報告。郭元帥心想，若是元軍派來的奸細，怎會如此這般從容，別冤枉殺了好人。

於是，郭元帥跳上一匹快馬，趕到城門，遠遠見到四五十個守兵指手

畫腳，叫嚷個不停，走近一看，發現一個大塊頭的和尚，生得面圓耳大，鼻直口方，腮邊一把落腮鬍鬚，雖然長相醜怪，卻有著不可侵的神情，左看右看，都不像是等著要殺頭的模樣，也沒有哀哀求饒的意思。

朱元璋看到郭元帥，怒氣沖天的罵人：『元帥不是要匡復天下嗎？奈何殺害壯士？』

郭元帥立刻命人鬆綁，當下把朱元璋收爲士卒。

這個郭元帥，名叫郭子興，是定遠縣有名的豪傑之士，郭家的發跡其中還有一段故事：

郭子興的父親，原本是個落拓書生，高不成低不就，走投無路，沒法生活，後來想到，曾經研讀紫微斗數，對於命相略知一二，於是，便從家鄉曹州，到鄰近的定遠，擺了一個算命攤子，打著郭半仙的名號，諏吉問卜，隨時候教。

郭半仙擅長察言觀色，口才絕佳，能把死的說成活的，因此，門庭若市，相當受歡迎。譬如有位家長拿著小兒小女的八字來納吉，郭半仙閉目養神，念念有詞，隔了半晌，驚呼一聲：『哎，這婚姻恐怕不成，乾造（男方）屬虎，坤造（女方）屬龍。』

媒人一旁發急，湊著郭半仙的耳朵道：『先生，煩請揑合一下，卦金加倍。』

郭半仙立刻見錢轉舵：『不忙，我再細細推算一番，……嗯，龍從火裏出，虎自水中生，龍騰虎躍，大吉大利。』

好一個大吉大利，家長笑逐顏開。

話說定遠縣裏，住了一個大財主，聽說縣裏頭最近來的一個郭半仙，還滿靈的。『卜以決疑，不疑何卜？』反正閒著也是閒著，不如找來問問。郭半仙到了財主府第，才上門，就暗自倒抽一口氣：『哇，好大的氣派。』

坐定以後，財主便問：『你先算算，我還有幾年好活？』並且報上出生年月日的干支、八字。

半仙乾咳一聲，清一清喉嚨。眨一眨眼睛，掐指一算，然後道：『六十六，不死掉塊肉，過了這一關口，就要到七十三，這一關若是過得去，無災無病一路往西行。』

這句回答，財主聽得頗入耳。心想，到了六十六，不妨照著民間習俗，買塊豬肉貼在背上，找個人用菜刀把背上的那塊肉切下來，算是應了掉肉之說，可以免去一死。

但是，一想到兒女，財主不免心煩，他對郭半仙道：『不瞞你說，我歲數大了，財產也有了，可惜膝下只有一女，長得倒是極爲秀麗，不知怎的，生下來就是個瞎子。我找了多少郎中，都說是天生注定，沒法醫治。由於眼睛看不見，拖到現在，也找不到婆家，等到那一天，我兩脚一伸，這些產業如何是好？你幫我算算，那一天小女才能嫁出去？』

『這……』郭半仙遲疑了一會兒，『嗯，也許就是今年之內。』

『今年之內？』財主大喜過望，謝了又謝。

郭半仙走出府第，開始盤算，算命也不是份好差事，這輩子想來與富貴無緣，何不娶了郭家女兒，雖然眼睛看不見，反正郭家奴僕衆多，也不用她操作家事。財主膝下只有這麼一個寶貝千金，他百年之後，還不全過繼到女兒身上？

主意已定，半仙急著找媒婆。媒婆垂涎財主的大紅包，立刻登門拜訪：『今有一身家清白，面容俊俏，迄今未娶的少年郎，誠心誠意娶你家小姐爲妻。』

『他不介意小女看不見？』

『非但不介意，反而誓言加倍憐愛。』

『眞有這樣好的事？快說是那家青年？』

『你也見過的，就是郭半仙啊。』

『是他？』財主涼了半截，就憑他那腳下敷滿塵垢的破鞋，實在不是理想人選。轉念一想，有總比沒有強。馬上堆起笑容：『難怪這小子鐵口直斷，小女年內完婚。』

就這樣，郭半仙當了定遠財主的東床快婿。結婚以後，夫妻恩愛，財主很高興，過世以後，財產全部留給了半仙，當然這時半仙早就收了攤子，享福去也。

郭子興是半仙的次子，他一共有三個兒子，其中子興最爲活躍，仗著家中頗有田產，平日交結賓客，接納壯士，焚香密會，很想闖一番事業。紅軍起事後，郭子興帶了數千人，夜襲濠州，殺了州官，建立了第一個據點。朱元璋前來投靠，也是想掙出一個局面來。

閱讀心得

【第654篇】朱元璋的賢內助。

話說朱元璋來到濠州，投靠到郭子興麾下，雖然開頭遇到點小波折，被守兵誤以爲是元軍的奸細，但是接著卻十分地順利。

朱元璋入了伍，見了小隊長，跟著弟兄們學武藝，由於他身強力壯，又有點小聰明，拿出當年在家鄉扮皇帝的本事，不一會兒工夫，已經在隊上搶盡了風頭。

朱元璋自小是個孩子王，天生具有領袖氣質，他小時候帶頭偷吃小牛，同伴樂於跟前跟後，如今帶幾個小兵放哨，小兵也自自然然對他服服貼貼，連小隊長對他同樣另眼相看。

日子不知不覺過了兩個多月，朱元璋自小顚沛流離，當和尚出外化緣，也是飽一頓餓一頓的，記憶之中，好像從來沒有眞正吃飽過。投効紅軍以後，大鍋菜即使不甚可口，飯總是可以盡量吃，對他這個食量大的人而言，能痛痛快快塡飽肚皮，實在是人生一大享受。因此，他不論打野外、出操，都是精神抖擻，非常勤快。

有一回，郭子興出來巡查，經過朱元璋的營房，只見他精神飽滿渾身帶勁兒，看著十分歡喜，於是喚隊長來問話：『這個大塊頭的，怎麼樣，還不錯吧？當初守衛的以爲他是元朝奸細哩。』

忍
大喜蕩心
微抑則
盛怒煩
小

小隊長趕緊回報：『他啊，不得了，是千人選一，難得一見的人才。』接著又叨叨絮絮，舉了好多實例，用來證明朱元璋確實非一般等閒之輩。

郭子興愈聽愈有興趣：『這樣吧，那他就改當親兵十夫長，到我元帥府裏當差吧！』留下小隊長楞在那兒，直怨自己不該多嘴，走了一個好幫手。

朱元璋到了元帥府，更表現得能幹俐落，打起仗來一馬當先，而且搶回來的東西總是公公平平分給大家，因此人人誇讚。加上他流浪在外三年多，餐風宿露見多識廣，使他擅長於應付各種狀況，益發在人群之中顯得出眾。

郭子興的二太太張夫人也發現了朱元璋的出色，想把自己一手撫養長大的馬氏嫁給這個小伙子。

馬氏在史書之中沒有名字，在郭家也許被喚為香香或者稱為秋香。她的身世十分淒慘，父親馬公殺了人，母親很早就過去了，馬公和郭子興是多年好友，就把小孤女付託給郭子興。

這個馬氏人長得不漂亮，卻是心地善良，性情和順，隨時搶著做事，張夫人很歡喜她，視若己出。

郭子興遲疑了一會兒道：『男方的祖父是個淘金戶，父親是佃農，外祖是巫師，女方父親是個殺人犯，男二十五，女二十一，都過了結婚年齡，配來恰恰好。』

就這樣，朱元璋做了郭子興的乘龍快婿，當了元帥的半子，前程遠大，從此軍中改口爲朱公子，也取了一個官名叫元璋，字國瑞。

馬氏雖然不識字，卻是十分嫻淑，對朱元璋十分體貼，每次朱元璋在郭子興那兒受了氣，回來哇啦哇啦抱怨，馬氏總是婉言相勸，把朱元璋的脾氣壓下去。

朱元璋伺候郭子興這個老泰山，眞是不容易，郭子興經常出爾反爾，而且說話不算數，還會吃朱元璋的醋，不滿意朱元璋的人緣好，將朱元璋身邊得意的幹部一個一個調走。

有一回，老丈人不知爲啥又翻臉了，一氣之下，把朱元璋關在空房裏罰禁閉，還吩咐不准送茶水。

到了傍晚，馬氏開始著急，她彷彿聽到朱元璋肚子咕咕叫『好餓』，怎麼辦呢？即使把自己的晚餐留下，也不夠塡飽朱元璋這個大胃王啊。

她躡手躡腳貼近伙房，裏頭一陣陣傳來烙餅的香味，她心想：『可憐，今晚吃烙餅，他最喜歡的。』於是，小心地溜進去，拿了兩張餅就往外衝。冷不防，迎面遇到張夫人。馬氏情急之下，把兩張剛從油鍋中夾出來的餅往胸口一揣，強扮笑臉與張夫人打招呼。

可是馬氏身上濃郁的葱香，加上胸前鼓起的一塊，張夫人早看在眼裏，她心疼地對馬氏說：『還不快把餅拿出來，皮膚會燙爛的。』

果然，當張夫人帶著馬氏，回到房裏，脫去衣服一看，早已皮開肉爛，一級燙傷，張夫人一邊爲她敷藥，一邊埋怨道：『這層皮膚是保不住了，好了也留個疤。』但是馬氏從頭到尾沒吭一聲，只是忙不迭抱歉：『對不起，我不該去伙房的，千萬別讓爹知道。』

張夫人好人做到底，在郭子興旁邊左勸右勸，把朱元璋放了出來，同時把馬氏偷餅的事，也一五一十告訴了朱元璋。

朱元璋好感動，他早知平日馬氏『變』出來的食物，都是自己節衣縮食、想盡辦法留下來的，爲的就是塡飽朱元璋的大胃，如今爲了這區區兩張餅，把前胸也燙爛了，眞是深恩無以爲報。

想朱元璋自父母過世，投奔皇覺寺以後，歷盡艱辛，嘗遍人間險惡，幾時有人如此疼他憐他，因此朱元璋對馬氏說：『妳不但是好妻子，更像一個好姊姊。』

一直到了朱元璋當皇帝，他還是常對臣下提及馬皇后爲烙餅受傷的往事，比之爲唐太宗的長孫皇后。

閱讀心得

【第655篇】魯班天子元順帝。

朱元璋正式加入紅軍，總算吃到了一碗安穩的飯了，他在濠州，也親眼目睹了元朝官軍許許多多的荒唐事。

元朝將領徹里不花，早已失去蒙古人驍勇好戰的豪邁性格，他的膽子很小，隔著濠州幾十里紮營，卻不敢放馬過來。只是一天到晚發脾氣訓斥部下：『養你們幹什麼的，還不趕快把紅軍抓來。』

徹里不花的手下，和他一般懦弱膽小，不敢冒犯紅軍，卻也不能不交差，情急之下，竟然想出一個妙法——何不捉幾個老百姓來充數。反正紅軍也只不過是頭上綁塊紅布，身上也沒刺字，寫明『我是紅軍』。

主意已定，可憐百姓就遭了殃，他們沒犯任何錯，糊裏糊塗被逮了去。據說，有些人被官軍吼著跪下，方才明白，小命即將不保，急得大哭大喊連走帶跑，劊子手則一陣亂刀亂砍的，這就叫做草菅人命。

官軍這場把戲玩久了，自不免露出破綻，有人報告徹里不花：『底下人是蓄意欺騙長官，隨隨便便抓幾個死老百姓交差了事。』

徹里不花很生氣，找人來問話，帶頭的回答：『紅軍很狡獪，混在百姓之中，其中不免有眞紅軍，也有假紅軍，但是我們寧可多殺一萬，不能放走一個眞的紅軍啊。』

『哼，算你會講話，我問你，每抓來一個紅軍俘虜，就領賞一次，如此下去，官府豈不被你們吃空？』

經過一番溝通協調，結論是殺了紅軍，放掉百姓。問題是，誰是紅軍？誰又是安分守己的良民？這到底該如何分辨？每天綁來一、兩百人，既不能全部開釋，又不許全部殺盡，該如何是好？

『有了！不如委託土地公辦理。』

不知是誰的建議，竟然得到眾人的同意。

於是，被捉來的犯人，排著隊，魚貫地走到土地公前，恭恭敬敬拜上三拜，然後開始擲筊，若是一仰一覆，或者是雙仰的陽筊開釋，如果是雙覆的陰筊則殺頭。

『土地公是騙不了人的』，話雖如此，多的是被冤枉的良民，中國人一向認命，不認命也沒法子，既然運氣如此背，該死的誰也不多話，低下頭走向鬼門關。

在這樣的情況之下，老百姓不當紅軍，也會被元朝官吏當成紅軍，莫名其妙推出去斬了。自然而然，更多民眾被『逼上梁山』，與元朝鬥一鬥法，何況，元軍多半還鬥不過哩。

元軍打不過紅軍，心生一計，向回回借兵，回回的阿速軍，一向以擅長騎射，快速精悍而著名。但是紀律差一點兒，歡喜喝酒，喝醉了酒，找女人瘋。

有一次，阿速軍幫著元朝進攻穎州，兩軍剛剛對峙，忽然領頭的立刻揚鞭，不停地說『阿卜，阿卜！』接著，底下人也『阿卜，阿卜！』然後，掉轉馬頭，沒命似的狂奔。楞在一旁的紅軍，這才了解，原來回語之中的『阿卜、阿卜』就是走的意思。一時之間，大夥都笑翻了。淮西人把這件事當成笑話，大家傳來傳去，沒事也把『阿卜、阿卜』掛在口邊。

元順帝接二連三收到惡耗，他卻不放在心上，因爲他整個人沈浸在建築之中，京師的人，稱他爲『魯班天子』，他不但不以爲意，還樂了老半天。

魯班是春秋時代著名的巧匠，後代土木工人奉爲祖師爺，有人說魯班就是公輸班，也有人說，公輸班另有其人，無論如何，魯班代表一流的巧匠。

順帝在這方面，還眞是個天才，他在皇宮內苑，打造龍舟，親自畫圖樣，親自監工。

他設計的龍舟，長一百二十尺，寬二十尺，龍舟上有樓宇、有暖閣，金碧輝煌，連水手的服裝，他也一併設計，身著紫綢衫，戴紫頭巾，漂亮挺拔，簇新神氣。

龍舟啓動之時，龍的頭、眼睛、嘴巴、爪子、尾巴都會跟著動，龍爪還會自動撥水，眞是奇妙極了！兩旁的人，拍手叫好，順帝龍心大悅。

造完龍舟之後，順帝對建築更一往情深，這一會，他要蓋宮殿了。他畫起設計圖來，不眠不休，廢寢忘食，棟樑楹檻，樣樣具備，眞的很像一回事。

畫完設計圖，立刻發工建造，他是皇帝，永遠沒有欠缺勞工的問題，內侍們趁此機會，又在建材上大大賺一筆。

宮殿蓋好了，順帝十分歡喜，請了大批賓客來參觀，自然人人稱讚不已，卻也有想撈油水的內侍，故意挑剔：『美雖美矣，比起京師某某新蓋的府第，好像還差一點。』

順帝急著去看，看了的結果，自然對原先的設計不盡滿意，一聲令下：『拆掉重建。』方才落成的宮殿，又頃刻之間化爲烏有，他又重新再來。

順帝滿腦子的設計圖樣，對於公文奏章則厭煩到了極點，國事愈來愈差。

自古以來皇帝是一國之君，高高在上，是人們羨慕的對象。然而，不是每個人都有政治細胞、政治興趣，順帝如果生在今世，倒可能眞成爲出色的建築師哩！

閱讀心得

【第656篇】芝麻李捐獻芝麻。

元順帝興趣盎然地當他的『魯班天子』，政治的黑暗、種族的壓迫、經濟的崩壞，終於掀起一波又一波的民變。

最早的民變，還不是劉福通，而是至正八年（西元一三四八年）臺州（今浙江臨海）方國珍糾結民衆，入海爲盜，經常劫掠沿海的漕運。由於元朝政府無能，面對治安敗壞舉手無措，爲了息事寧人，竟然授方國珍爲定海尉。

方國珍這個人也過分，沒多久，居然再度叛變。元朝只好以更大的高官招降。方國珍嘗到了甜頭，樂此不疲，不斷地玩同樣的把戲，勢力是越剿越強，官是越反越大，到至正十六年官授萬戶，十七年更升到了江浙行省參知政事。

乖乖，這個官兒可不小，人們都羨慕極了，也紛紛下海爲盜，亂成一團。

接著，韓山童劉福通藉著白蓮教招搖惑衆，散佈『石人一隻眼，挑動黃河天下反』的歌謠，預埋石人，達到造勢的宣傳效果。

因爲劉福通的號召，同時起兵的，除了濠州的郭子興——朱元璋的老丈人，另有蕭縣的李二。

李
芝

那時淮水一帶鬧飢荒，人們苦不堪言，正在焦急沒收成時，又來了彌天漫地的蝗蟲群，把穗上少數幾顆的粟粒吃得乾乾淨淨，日子實在過不下去了。

有那名喚李二的，平素個性豪邁，家中頗爲富有，他忽然把村人集合起來，拍著胸脯道：『各位鄉親父老們，鄉裏鬧荒災，我心有不忍，家裏頭尚存一大倉庫的芝麻，不如各位分了吧！』

鄉親們聽了，幾乎不敢相信自己的耳朵，芝麻是何等滋補，何等名貴的好東西啊，平日烤燒餅，撒上那麼一點點，香氣誘人，燒餅吃完了都還捨不得把芝麻吃掉，這會兒憑空而降一大袋芝麻，大夥都快樂得要瘋了。

有人捧回芝麻，寧可餓著肚子，捨不得吃。也有人乾脆把芝麻炒了，或者做碗芝麻糊，痛痛快快打個牙祭，嘖嘖稱奇道：『沒想到在鬧飢荒時，竟然有這等美味！』吃罷，口頰留香，直呼過癮。

鄉民爲了感念李二送的芝麻，從此以後，乾脆稱李二爲芝麻李。

芝麻李之所以慷慨解囊，奉送芝麻，原來也有他的野心，他見歲饑民貧，又見劉福通起事，遂也蠢蠢欲動，與趙君用、彭二郎等結盟起義，一舉攻下了徐州。

元順帝得到軍報，十分傷腦筋，擺下宴席，對文武大官們道：『今日盜賊蜂生，各地官兵，沒一個高奏凱歌，卿等有何計策，可以爲朕分憂解勞？』

脫脫叩首道：『臣不能爲國除患，引以爲恥，願意肅清江、淮，以報國恩。』

脫脫不但腹有詩書，主修宋遼金史，而且臂力過人，能夠挽弓一石。如此文武兼資之才，願意自請肅賊，自是好事。但是，轉念一想，順帝又不放心：『丞相若能掃除寇賊，朕當裂土以報。但是，中書省是政事根本，賢卿若是離開，朕將仰賴何人？』

脫脫很想脫口而出：『陛下只要別再任哈麻胡作非爲也就是了。』哈麻引進西僧，淫亂宮廷，早已是內外皆知的醜聞了，只有順帝一人仍然渾然未覺。

脫脫想了一會兒，含蓄地說：『盡忠報國，乃臣子之責任，豈敢忘恩。但是微臣此去，全望陛下親近賢臣，遠離小人。』

於是，順帝任命脫脫爲組兵大元帥，大小官軍，都歸脫脫指揮，至正十二年（西元一三五二年）脫脫率領大軍，來到了徐州城外。

芝麻李對手下說：『元兵遠來疲乏，今夜必然沒有準備，我不如今晚前往劫營，你們看如何？』

衆人皆誇芝麻李高明，先下手爲強，當夜二更，芝麻李引兵出城，直抵元營，元軍果然沒有防備。芝麻李暗喜，一揮手，領兵殺入。奇怪，營内怎無人，心下大驚，準備退兵。

忽然之間，人聲嘈雜，四面伏兵盡起，把芝麻李團團圍住，互相砍伐一陣之後，這才發現，全是自己人砍殺自己人，竟是不見元朝軍隊。

芝麻李知道大勢不妙，氣急敗壞奔回徐州，急著叫守兵開門，口中嘟嚷地喊著：『我被元兵混殺一夜，至今方得逃回，快開門，再遲，元兵就要追來了呀！』

正在大呼大叫，舉頭一望，看見兄弟李通的頭，懸掛在牆上。城樓旁邊，立著一員大將，大聲喝斥：『你這個賊子，我元丞相已取得此城了，你還不認得？』原來脫脫乘芝麻李出城之時，輕易地攻下徐州，芝麻李就被元兵射殺了。

天色大明，脫脫檢查戰果，十分開心，他向部下解釋道：『我早料到他必趁夜劫營，黑夜之中，誰知彼此，我兵只密圍數城，虛聲叫喊，任他自相殘殺，另取精兵，乘虛攻取徐州，這叫以逸待勞也。』衆將皆齊聲道：『元帥神機妙算，非我等所及也。』

閱讀心得

【第657篇】張士誠販賣私鹽。

元朝丞相脫脫果眞不含糊，出將入相樣樣行，他主修宋遼金史，做主用賈魯治水成功，又親自帶兵討伐芝麻李，大破賊兵，收復了徐州。

脫脫回朝，順帝大喜，以功加太師，賜珠衣、寶鞍。脫脫謝了恩，心裏卻並不暢快，因爲他發現，在他出征的這一段日子，順帝變本加厲，越發荒淫。

順帝除了又折屋又建屋，做他的『魯班天子』之外，他最快樂的事，就是成天遊船擺酒，找了十六名美貌的宮女，號為十六天魔，打扮得奇奇怪怪，頭上編了許多辮子，戴著象牙佛冠，身披珠寶，著大紅銷金長短裙，唱金字經，跳雁兒舞，日日夜夜，順帝與天魔舞女混在一塊兒。國庫的錢全浪費在這兒，百官俸祿都發不出來了。

脫脫感慨萬千，忍了又忍，實在憋不住，他對順帝說：『陛下難道忘記商紂酒池肉林的教訓了嗎？』

酒池肉林是商代紂王以酒為池，懸肉為林，男男女女，赤身露體，奔跑相逐其間，做長夜之飲。

順帝聽了老大不開心，念在脫脫有功於國家的份兒上，嗯嗯啊啊把話支吾過去。一手導演這齣色情遊戲的哈麻，則在背後嘲諷脫脫是假正經、

老學究。

脫脫沒法勸醒順帝，只好埋首於政事，能做多少，就盡量多做一點兒事。於是，他鑒於江淮大亂，水運不通，蕪湖一帶的米無法運送上來，所以倡議在京畿一帶屯田，自兼大司農事，募集江南農夫耕種，用來彌補京師的糧食，接著，他便積極規劃討伐張士誠。

張士誠是泰州人，力氣很大，每次跟人家比腕力，總是只有贏，不會輸，他帶著三個弟弟張士義、張士德、張士信駕船販賣私鹽爲生。

元朝政府規定鹽引制度，也就是說，鹽是國家的財產，一般人民不得私販。商人用錢買引，再憑引購鹽。元初規定，鹽引每引價錢十五兩。以後，因爲強豪的操縱，紙幣的貶值，普通百姓根本吃不起鹽，民間普遍淡食。

然而，淡食實在不是滋味，鹽又是人體需要的養分，於是，遂有私鹽販子應運而生，張士誠就是經營這個買賣，很賺了一筆錢。他爲人輕財好施，出手大方，極爲慷慨，頗得人心，江湖人稱小孟嘗。

張士誠是個血性漢子，仗著力氣大，幹粗活很適合，但是，販賣私鹽，必須得到淮東一帶鹽梟、官府以及當地土豪劣紳的包庇，也就是說，黑白兩道都要打點，不僅如此，官員的屬吏與豪紳的走狗都得應付，一個不留神，就會出事，所謂是『閻王好見，小鬼難纏。』

其中有個名叫丘義的弓手，職位不高，派頭不小，再三再四向張士誠需索無饜，拿了錢，還要酸酸的諷刺幾句，動不動就把『小心我到官府裏去告你』掛在口邊，張士誠每回想到丘義，就有一肚子的窩囊氣。

有一回，張士誠多喝了幾盅老酒，路上遇到丘義，丘義又伸出手來要錢，理由是賭錢輸了，需要翻本。

張士誠火了：『我今天有錢，就是不給你。』

『你有把柄在我手上。』丘義賊賊地笑道。

『那又怎樣？』說著，張士誠提起鐵鎚般大小的拳頭，用盡平生的力氣，只顧打，一連打了五六十拳，丘義眼裏、口裏、鼻子裏、耳朶裏都迸出鮮血，微弱地喘氣。

再過了一會兒，丘義氣也沒了，脖子歪在半邊。路人都圍攏來看，有人要告官府，也有人要去報告丘義的主人。

張士誠心想，反正是死路一條，一不做，二不休，衝動之下放火燒了丘義靠山某富豪的豪華宅院，這下子，禍闖得更大了。

眾人忙著提水滅火，張士誠的酒也醒了，如果赴州衙投案，只有死路一條，張士誠與兄弟們商量的結果，與其被捉去殺頭，不如學方國珍、徐壽輝造反，若是失敗，反正也是一死而已，萬一成功了，那可是享不盡的榮華富貴。

於是張士誠登高一呼，憑藉著平日樂善好施小孟嘗的美名，與一夥兄弟們歃血爲盟，開始造反。（歃讀耍，古時盟誓，用牲畜血塗在口邊，稍微吸著，表示誠意。）

張士誠等殺了一隻雞，把雞血抹在嘴邊，正式造反。

張士誠是後來取的名字，其實，到目前爲止，他叫張九四。關於張士誠的名字，還有一段故事。朱元璋當了明朝皇帝以後，對讀書人非常尊敬，有人看不過去，故意挑撥：『文人可不是好東西，專門會挖苦人，例如張士誠，原本叫九四不是好好的嗎？偏要說九四不夠文雅、不好聽，這下可好，改了個張士誠，固然不俗，卻不知孟子書中有一句：「士，誠小人也。」也可以念成「士誠，小人也。」你看，這種拐彎抹角的罵人，張士誠被罵爲小人還在沾沾自喜，讀書人多陰險啊。』

朱元璋勃然大怒，從此恨透讀書人。

閱讀心得

【第658篇】

朱元璋急智脫險。

在上一回之中，我們說到，脫脫積極規劃，準備進剿販賣私鹽的張士誠。

張士誠原先的活動力量就很強，人際關係很好，最重要的是，元朝政府的百般壓迫，基層民眾實在吃不消了。所以，張士誠登高一呼，各地蜂起附和，一舉攻陷泰州、高郵，殺死知州李齊。

元朝政府原先的策略，還是運用老法子，你造反，我就派你一個官做，用招安的方式擺平。可是，張士誠一路打下來，勢如破竹，愈鬪愈是過癮，他非但拒絕招安，並且殺了使者，繼續向揚州進軍。

元朝廷這下著急了，惟恐士誠再鬧下去，整個東南局面，勢必不可收拾，於是脫脫大舉討伐。張士誠在至正十三年（公元一三五三年）自稱誠王，國號周，建元天祐。

脫脫果然是厲害，他大軍一揮，立刻在高郵把張士誠打得落花流水，脫脫躊躇滿志地說：『張士誠的本事不過爾爾，我們用不著把整個大軍拿來對付他。聽說，六合一帶也有亂事，不如，先分一部分兵力去討伐六合。』

佔領六合的土匪（史書中沒記載名字）這下慌了，急忙去找滁州（讀除音）的郭子興幫忙。

郭子興心胸狹隘，猜忌心重，不容易與人相處。他一向討厭六合王，聽到消息，幸災樂禍地蹺起二郎腿道：『這下子，六合慘了，脫脫可不是省油的燈。』

朱元璋忙接口：『正因爲脫脫來勢洶洶，萬一六合失守，你有沒有想到，元兵下一個攻擊目標是那裏？』

『你說呢？』朱元璋的老丈人郭子興沒好氣地翻著白眼。

『當然是我們的滁州啊！』

『呸呸，別說晦氣的話！』

朱元璋拿老丈人沒辦法，他把地圖拿出來好言好語地對郭子興解釋：『從地形上看，六合一失，滁州必然不保，這是脣亡齒寒的道理。』

郭子興可聽不進去，他大手一揮：『我和那小子有仇，要我去救他，沒這個道理。你要多管閒事，那是你的事！』

既然郭子興口氣鬆動，朱元璋就準備率兵前往。豈料，郭子興的部將也一個一個不肯動，理由是：『問過神明，時辰不對，諸事不宜。』眞是冠冕堂皇的理由。

其實，神明只是個幌子，脫脫百萬雄兵，誰也不敢去送死。朱元璋只好帶著少數部隊，前往援救。

脫脫部隊銳不可當，排山倒海的攻勢，六合完全沒法子抵抗，城防工事完全被摧毀。眼看著守不住，朱元璋只好幫忙，把六合的老弱婦孺搶救到滁州。

接著，不出朱元璋所料，脫脫大軍直撲滁州。

郭子興接到『強烈颱風警報』，嚇軟了手腳，急得在房裏走過來踱過去。

就在生死關頭這一刻，突然，外面衝進來一個人，高聲嚷叫著：『朱將軍回來了。』郭子興低頭默唸：『阿彌陀佛，菩薩保佑！』嘴裡卻在嘀咕，數落朱元璋：『你跑到那兒去了？元軍都快攻來了。』

朱元璋沒工夫與郭子興糾纏，他趕到城牆上，遠遠眺望，發現元兵約莫在十里以外。他急奔下城，帶了三千人馬，埋伏在城外一條河岸旁邊的樹林裏。

然後，他命令耿再成在瓦梁壘這個地方，帶領五百人馬，誘敵前來。

元兵發現耿再成，一看也只有少數兵力，暗暗冷笑，雙方廝殺一陣，耿再成立刻撥轉馬頭，隱入樹林。

元兵放馬急追，正在渡河，就在此時，樹林裏立刻飛出雨點般的暗箭，元兵左躲右閃，仍然仆倒不少，剩下的，慌亂之中，七手八脚從河裏爬起來，踉踉蹌蹌逃命去了。

朱元璋的人馬，趕在此刻，大叫一聲殺了出來。同時，滁州的部隊，看到城外打了勝仗，也就一塊衝出城來，圍攻元兵。

元軍這一仗，打得眞是灰頭土臉，河流漂浮著屍體，地上滿是兵器。

滁州軍民歡聲雷動，又跳又叫，個個都說：『朱元璋了不起。』

朱元璋可沒被捧得飄飄然，他思慮周密，腦筋清楚，沉著地分析道：

『滁州孤城無援，元兵如果添兵包圍，前來復仇，我們不被打死也會被餓死。』

朱元璋的分析，把大夥自勝利的歡樂中，一下子降到失望的谷底之中，每個人臉上都罩了一層愁雲慘霧，不曉得該如何是好。

朱元璋盤算了一會兒，正色道：『走，我們把剛剛得到的元兵馬匹送回給他們。』

眾人皆疑惑不解地望著朱元璋，他繼續說：『再把城內的黃牛，上好的酒都準備一些，一起送給元兵去。』

脫脫大軍吃了暗虧，正準備報一箭之仇，不料朱元璋率著馬匹，帶著牛酒前來勞軍，朱元璋低聲下氣道：『請原諒我們良民，絕不敢造反，團結守護只是爲了自衛，情願供給大軍需要，請拚全力打高郵，饒一饒老百姓。』

元軍見朱元璋一派誠懇，又送來上好的酒菜，也就給他個面子，答應不再進攻滁州。滁州算是保全了，朱元璋也發揮了大丈夫能伸能縮的韌性。

閱讀心得

【第659篇】哈麻與雪雪亂國。

靠著朱元璋的急智，滁州終於獲得保全，百姓也免於受到元軍的蹂躪。

元兵這一退，郭子興可樂了。他袖子一甩，大搖大擺地宣佈：『如今可是我郭某正式稱王建號的時候，不能讓那張士誠專美於前。』

朱元璋瞟郭子興一眼，又好氣又好笑。他心忖，你老人家前一會兒還是一副天要塌下來的惶恐，怎麼現在心一橫，竟然急著要稱王。

朱元璋知道，郭子興正在熱頭上，勸也勸他不醒，只能用嚇的。因此，他對郭子興說：『岳父要稱王，那眞是再好不過的了。只是方才我們才把元軍誆騙走，這會兒馬上稱王，不免樹大招風，萬一元軍又掉轉回頭，也罷，我們就和脫脫拚了！』

這番話把郭子興嚇壞了，他連連搖手道：『不忙，不忙，等元軍走遠了再稱王也不遲啊。』

這才把一場危機化解。

朱元璋對郭子興眞是傷透了腦筋，郭子興既是恩人，又是岳父，還是長官，動不動就把『別忘了，你小子當時如何如何』掛在口邊。他耳朵軟，心胸窄，容不得人。遇到危機之時，對朱元璋親熱得緊。可是，等事情過了，他受到別人的挑撥離間，就對朱元璋樣樣不滿，百般挑剔。雖然不再

把朱元璋關到柴房裏去，那張臉又臭又長，倒也眞夠瞧的。

有一回，郭子興也不知道是那一根筋不對了，看到朱元璋非但愛理不理，並且把臉別過去，似乎相當嫌惡。

朱元璋晚上回到房裏，愁眉不展，長長地嘆氣：『難噢，難辦噢！』體貼的馬氏忙問其故，朱元璋不吭氣。馬氏聰敏，一猜便著：『莫不是義父薄待夫君？』

『對啊，你義父的脾氣眞古怪。』

『你可知爲了什麼？』

『莫非你知？』

『我的確知道，別忘了，他是我義父。』

朱元璋趕緊坐正身子：『說來聽聽。』

馬氏仰頭問朱元璋：『你每日出征，可有奉獻他老人家金帛？』

『當然沒有。』

『為什麼其他將領都有？』

朱元璋得意地說：『因為你丈夫出兵，一概秋毫無犯，即使敵人捐獻，也全都賞給部下了。不然，為什麼人人服氣我？』

馬氏說：『這就是了，義父必然是懷疑你吞財，這事讓我來想辦法。』

『你有何法子？』

馬氏二話不說，拿出自己的首飾，第二天交給義父大人，郭子興這才笑瞇了眼：『原來朱元璋還是有孝心。』

在中國社會，做人還眞是難，尤其是小人難纏，元將脫脫，同樣被小人挑撥中傷。

話說脫脫在前線出生入死，冒險犯難，元順帝卻陶醉在美人窩的溫柔鄉之中，快活無比。

專門爲元順帝安排色情遊戲的哈麻，接二連三收到脫脫的捷報，他把捷報全部給壓下來了。並且對丞相撒敦說：『脫脫威震中外，他一向對我們不稍假詞色，今又建立大功，皇上必加重用，我輩的日子愈發過不下去了。爲今之計，只有先下手爲強。』

於是，哈麻一方面在皇后與太子面前造脫脫的謠言，一方面又教唆監察御史袁賽因不花彈劾脫脫，說脫脫『出師三月，毫無功勞，靡費國家錢財，中飽私囊。』

袁賽因不花一連上了三次奏章。本來迷糊的順帝就認爲，事有蹊蹺，不可能是空穴來風。想到脫脫平日上諫，一副得理不饒人的假正經，順帝無名火起，頒下詔書，削退脫脫官爵，改用雪雪代領其軍。雪雪不是別人，正是哈麻的弟弟。

脫脫在前線，忽聞皇帝有詔，原以爲必然是順帝犒賞三軍，做夢也料想不到，居然是朝廷免職的詔令，當場臉色一片死白。定下心一想，準是哈麻在中間挑撥，不禁長嘆一口氣。

參議官龔伯遂道：『春秋之義，將在外，君命有所不受，丞相出師之前，曾受密詔，在外便宜行事。今日不理詔書，等到賊人擊退，謠言自然平息。』

脱脱與岳飛一般，也是滿腦子儒家思想，他堅持把軍權交出，聽由新任統帥節制。

脱脱有功不賞，反而遭到免職的惡耗傳出，軍士哭成一團，個個氣得七竅生煙，一致反對脱脱離開，脱脱只是平靜地說：『君命豈可違抗也。』副使哈剌答是個烈性的人，他氣憤莫名道：『丞相若去，我輩必死，與其死於敵人之手，莫若死在丞相之前。』說著，他拿起佩刀，朝自己脖子上一抹。其他軍士見副使自殺，情緒更加激動，上上下下亂成一團。

脱脱匹馬單槍赴淮安，還不到半個月。臺臣又上表，彈劾脱脱貶罪太輕，應該遠貶雲南。脱脱至正十五年冬，哈麻又用一道假詔令脱脱服毒自盡。

脫脫是元朝晚年最後一位重臣，脫脫一死，元朝的大勢乃去。

閱讀心得

【第660篇】和州婦女重獲天日。

話說朱元璋解除了滁州之圍，表現了過人的機智，人們總算對朱公子另眼相待了。

朱元璋雖是郭子興的女婿，他可是有眞本事，奈何別人總認爲他是走裙帶關係，讓他心裏很是不服氣，再說，他年紀輕，資歷淺，在郭子興的衆多將領之中，論起輩分，當然是排在後頭的。

朱元璋一向相信『弱者等待機會，強者創造機會。』他要想一個辦法扭轉頹勢才好。

『有了！』朱元璋想到，向來諸將舉行軍事會議，總是在大廳依著官位前後排排坐，而他呢，永遠是敬陪末座，誰也不答理他。不如把位置變換一下，改爲一排橫的木凳，這樣，至少讓大家注意到，有這麼一個朱元璋的存在。

主意已定，他趁著晚上，把公座撤去，改爲一排木凳子。

第二天，會議開始，誰也沒留心這件小事，只是往右邊位置擠，按照當時蒙古人立的規矩，右首爲尊也。

朱元璋來了，發現只留下左末一席，這也無所謂，換個角度看，最左的也就是最右的，既然人人坐在同一排，他可要好好表現一下了。

郭子興手下這批猛將，打起仗來衝鋒陷陣，拖槍使棒十分來得，若是要判斷敵情，決定大事，卻只會摸著落腮鬍鬚，嘿嘿嘿的乾笑，一句話也說不出來。像傻瓜似的，個個都是胸無點墨的大老粗。

朱元璋口才絕佳，模樣雖然醜陋，卻是高頭大馬，面圓耳大，一番話說下來，無人不服。

會議決定，諸將們分工修理城池，各人認定地位丈尺，限三天之內完工。

以往，碰到這種事，誰也沒把話放在心上，雖然說是三天，拖到三十天是常有之事。

這一回，朱元璋存心立威，三天一到，二話不說，約集諸將一同查看。

結果，除了朱元璋派定的一段之外，其他的不是沒有竣工，就是還沒有開工。

朱元璋放下臉，拿出郭子興的告示，十分嚴厲地訓斥：『各位奉總元帥令，辦理修城要事，竟然拖拖拉拉，完全不放在心上，這像話嗎？自此而後，如有違反軍令，一律軍法處理，顧不到情分。』

將領們被朱元璋這一刮，又是驚奇又不便反駁，臉上陰晴不定，逐漸領教了朱元璋這個人不好惹。當然，也有那年長的，表面上唯唯諾諾，私底下對朱元璋『目無尊長』相當不悅。

過了不久，朱元璋又做了一件讓諸位將領大吃一驚的事：那是紅軍佔領和州不久，有一天，朱元璋信步來到城外，看到一個年約五六歲的小男孩，蜷縮在稻草堆旁低聲飲泣，臘月裏天氣寒冷，小男孩不住地發抖。

朱元璋見他一副小可憐的模樣，想起當年自己飢寒交迫的情景，泛起了同情的慈悲心。他向前問小男孩：『小弟弟，你父親呢？』

『在軍營裏幫官人餵馬。』

『那母親呢？』

『媽媽在另外一個當官的人家裏。』小男孩說到這兒，委屈得猛掉眼淚。

朱元璋心下一驚，原來都是我們紅軍做的缺德事，眞是該死！

他牽起小男生的手：『別哭，我帶你去找爹娘。』

小男孩擦乾了眼淚，跟著朱元璋一處處軍營尋找，果然找到了母親。

這婦人一眼瞥見了兒子，衝過來，緊緊地摟著：『寶寶，你怎麼了，寶寶，媽媽好想好想你。』

『這位叔叔帶我來的。』小男生指一指朱元璋。

年輕婦人連忙下跪，不斷磕頭：『總兵官，救救我們吧。我丈夫被拉去當馬伕，我也被那官押到這兒，寶寶這麼小，可憐啊！』

小男生也學著媽媽，不斷地磕頭，還用小手拉著朱元璋的褲子。朱元璋憶起幼年，最爲痛恨欺壓百姓的貪官污吏。不料，紅軍打著反抗暴政的旗號，原來也是害得百姓妻離子散，算是什麼仁義之師！

他當下召集諸將，聲色俱厲地責問：『我們大軍從滁州來此，人皆單身，並無妻小，怎麼沒幾天，倒有人有了妻眷，這是怎麼一回事？』

軍士們面面相覷，不明白朱元璋爲何有此一問。因爲向來城破之後，一番大搶大奪，也包括婦女在內，不論已婚未婚，凡是稍有姿色的，一個也別想逃，統統做了押寨夫人。這不但是公開的規矩，也是鼓勵軍士向前衝鋒的原動力。

朱元璋清一清喉嚨道：『我等起兵鄉里，乃是爲了救民，如今竟然掠人妻女，豈不是毀了紅軍的名聲嗎？如此下去，民怨沸騰，我們還談什麼重整天下？我現在規定，以後入城，一律不准霸佔婦女，違者軍法處分。』

接著，和州城內所有被俘虜的婦女全部放出，一時之間夫認妻、妻認夫、母認子、子認母，有哭的，也有笑的，更有又哭又笑的，大家簡直激動到了極點，朱元璋的軍令森嚴也因此而名聞遠近。

閱讀心得

【第661篇】朱元璋被綁架。

在上一回之中，我們說到，朱元璋放走了被擄來的和州婦女，老百姓都感激涕零。

老百姓樂了，軍士們可不樂了，這些胡作非爲的軍士，多半是張天佑的部隊。張天佑貪財好色，而且是個醉醺醺的酒鬼，三杯黃湯下肚，經常貽誤軍機。

張天佑聽說朱元璋下令，把他部下懷裏的美人兒都給放了，十二萬分的不開心，直覺以爲，朱元璋存心不把老一輩放在眼裏，是可忍也，孰不可忍也。

張天佑第一個念頭，就是衝到郭子興那兒告狀，他數說朱元璋：『元帥啊，你那個寶貝女婿，不但把三軍財物，全部收歸己有，而且還不准我們軍士們擁有婦女，竟然命令大家，把婦女放出，全部歸他一人所有，他也未免過分一些吧。』

『眞有這事？』

『怎麼沒有，所有搶來的婦女都給充了公，下一回，拿什麼砥礪士氣，要大夥在沙場上賣命？』張天佑氣得青筋畢露。

跟著張天佑前來的小兵也湊上前加了一句：『連我們張將軍的女人，

朱公子也不放過。』

聽到這兒，郭子興火大了，他一向耳朵軟、性子急，事情還沒搞清楚就發脾氣，躺在床上，左思右想，輾轉難安。乾脆，掀開被窩，從滁州趕到和州，找朱元璋算帳去。

岳父大人深夜來訪，朱元璋心想，又不知那兒惹他老人家發火，先跪下來請罪再說。

郭子興氣得話都說不出來，不斷地調勻呼吸，過了半晌才開口：『是誰跪在下面？』

『總管朱元璋。』

『你知罪嗎？』

『知罪。』朱元璋實在不曉得，究竟犯了那條罪。

『你要逃到那裏去？』

『兒女有罪，又逃到那裏去？外面的事要緊，得馬上去辦！』

郭子興忙問：『什麼事？』

『孫德崖來了！』

一聽孫德崖，郭子興立刻眼睛冒火。

孫德崖原是郭子興的副帥，軍中的大事，多半是孫德崖做主。後來，郭子興有了朱元璋這個乘龍快婿，對孫德崖看不上眼，雙方愈鬧愈僵。

孫德崖竟然趁著朱元璋不在之時，請郭子興前來喝酒，其實是安排一場鴻門宴，把郭子興五花大綁鎖在木板上。

郭子興發現中計，已爲時晚矣。幸而隨行的馬伕溜得快，機靈地回去通報。

等到朱元璋帶著人馬，團團圍住孫家，掀開屋瓦，救出郭子興時，郭子興已被打得全身青紫，朱元璋把岳父背回家時，郭子興已奄奄一息。

因此之故，郭子興想到孫德崖就一肚子窩囊氣，這一回，孫德崖是因爲濠州缺糧，也不先與朱元璋等商量，帶了部隊就往和州闖，說是要在城裏待一陣子。眞讓朱元璋傷透腦筋。

孫德崖聽說郭子興來了，派人對朱元璋說：『你丈人來了，我們處不來，我要走了。』

朱元璋心想，如此簡單就好了，不曉得你葫蘆裏藏著什麼玄機，趕來勸孫德崖：『何必如此匆匆忙忙。』

孫德崖還是要走，朱元璋只好送行，他送孫軍部隊出城外，走了相當一段路程，忽然之間，小兵通報：『城裏頭兩軍打起來了。』

『怎麼回事？』朱元璋一驚。

孫德崖的部隊不由分說，槍箭齊下，把朱元璋給綁了起來，氣洶洶道：『一定是你的詭計。』

『我根本不知道。』朱元璋急著分辯：『大家都是舊夥伴，好朋友，何必彼此火併。』

孫軍中有人起鬨：『別跟這小子嚕嚕囌囌，殺了他就是。』

卻有另外一人道：『不成，孫將軍目前還留在和州城內，如果現在殺了朱元璋，孫將軍一定也活不了。』

最後的決議是，孫軍部隊先派個人去和州城探查形勢，然後再把朱元璋送上西天。

於是，孫軍部隊中一名軍官，騎著快馬趕回和州城，發現城內一片平靜，並沒有什麼亂事，問起孫將軍，人們回答：『赴郭子興那兒喝酒去了。』

軍官來到軍營，經過通報之後發現，沒錯，郭子興正與孫德崖對飲。不過，孫德崖的脖子被一個大號鐵索，牢牢地鎖住。

郭子興忙問軍官：『我那女婿呢？』

『在我們軍營之中。』

『哈！』孫德崖一拍大腿：『那敢情好，郭賊，還不趕快把我給放了，否則，你女兒只好當寡婦了。』

『放人，沒那麼容易，走馬換將是可以，等我看到朱元璋再說！』

郭子興也不相信孫德崖，於是，二人就這麼耗著，郭子興擔心朱元璋的安危，血壓不斷地升高，表面上卻故意不動聲色，還一直開孫德崖的玩笑：『老孫，脖子上套個鎖，其實也不錯啊，可以照樣喝酒。』

最後，孫德崖受不了，答應採取折衷之策，郭子興先派徐達到孫軍當抵押，換回朱元璋，朱元璋回到城裏，才解開鎖，放走孫德崖，孫德崖回去了，再放還徐達。

折騰了兩天，朱元璋終於毫髮無損地回來了。但是郭子興受了驚嚇，又忍著氣，得了腦溢血，沒多久，一命嗚呼，郭子興的部隊就由朱元璋掌管了。

閱讀心得

【第662篇】常遇春采石磯立功。

朱元璋的老丈人郭子興去世以後，順理成章地，郭子興的部眾全歸朱元璋所有。郭子興是個不好相處的人，朱元璋靠著過人的機智，小心伺候，岳婿一場好始好終，由此也可看出朱元璋的不凡能耐。

至正十四年（公元一三五四年），朱元璋的親姪兒朱文正，以及姐夫李貞帶著外甥保兒，得到消息，一塊前來投靠朱元璋。

朱元璋這才知道，二哥、三哥都去世了，一家人只剩下這麼幾口，想來眞是傷心。四個人抱著頭，痛痛快快哭了一場。

哭完後，彼此端詳，沒想到遭逢生離死別，今朝還有相會的日子，又歡歡喜喜地笑了起來，保兒扯著朱元璋的衣袖，親熱地喚著：『舅舅，娘一直惦記著你。』

朱元璋低頭一看，十四歲的保兒，長得與二姐一個模子印出來似的。想起小時候，朱元璋每次闖了禍，總是二姐幫忙收拾爛攤子，驀然心中一酸，拍拍保兒的頭道：『外甥見到舅舅，就像見到娘一樣的。』以後，朱元璋在皇陵碑中記載這一段：『一時會聚如再生，牽衣訴昔以難當。』

在此同時，朱元璋還收了一個沐英爲養子，沐英只有十歲，父母雙亡，長得一臉聰明相。朱元璋把親姪文正、外甥保兒與沐英都收爲養子，改姓

爲朱。朱元璋以後又收了二十多個義子，壯大勢力。原來收養義子，是當時流行的風尚，帶兵的將領喜歡挑選俊秀勇猛的青年爲心腹，不但打仗時格外拚命，也能用來監視其他將領。

不過，朱元璋最開心的是，大將常遇春的前來投奔。

常遇春相貌堂堂，尤其奇怪的是他雙手過膝，相書上稱爲『猿臂』，擅長騎馬射箭。他是懷遠人，由於家鄉貧困，日子過不下去，起初跟著劉聚當強盜，混了半天，沒能闖出名堂來。

常遇春聽說朱元璋雄才大略，決定改投朱元璋。據說，當他在半途之中，躺在田埂上打瞌睡，迷迷糊糊夢到仙人披甲擁盾把他喚醒：『起，快起，主君前來了！』他嚇醒來，從此認定朱元璋是眞命天子。這類傳說，當然不足為信。

當朱元璋收留常遇春之時，他正在為糧荒發愁，經常對著長江歎息。朱元璋所在的和州對面是太平（今安徽當塗），太平南靠蕪湖，蕪湖周遭的丹陽、高淳、宣城都是著名的魚米之鄉。可是沒有船隻，如何渡河？有了船隻，缺乏水手也過不去，眞是傷腦筋。

事有湊巧，巢湖小軍頭目李扒頭派代表來搬救兵，原來兩股海盜相持不下，李扒頭連連吃敗仗，想要朱元璋伸出援手。

朱元璋親自前來勸告李扒頭：『與其死守挨打，不如我們結夥渡江，共取富貴。』

李扒頭答應了，朱元璋興奮得摩拳擦掌：『我正愁著不能渡江，巢湖水軍不請自來，眞是天助我也！』

至正十五年（一三五五年）六月初一日，朱元璋引舟東下，向江口進軍，常遇春爲先鋒，當日，月明風順，水闊江深，不一會工夫，已到采石磯。

元兵這方面，刀槍麻列，旌旗蔽天，兩軍在不到三丈之處，擺開陣勢。朱元璋手下的長槍手郭英搶先向前，誰知元軍射箭有如飛雨般灑來，無法前進。

朱元璋對胡大海與常遇春二人道：『你們兩個，誰先登上采石磯，就被任命爲正先鋒。』

常遇春存心露一手，他乘著快艇，帶著神槍手奮力衝到采石磯下。

元兵見朱元璋近岸，砲箭紛紛如蝗蟲般飛來，以至於朱軍盾牌也遮不住，神槍也無可用，兵士們正準備撤退。常遇春大喝一聲：『我今天取不得采石磯，誓不旋師！』

於是常遇春不顧三七二十一，挺著槍登岸，元將卜喇猛力拿著長矛戳下，常遇春右手拿住盾牌，左手揑著矛桿，大叫一聲，從空直跳而上，撇了盾牌，就持槍猛刺卜喇，卜喇未料到常遇春如此神勇，武藝高強，一時失神，便被常遇春的槍刺倒在地。

朱軍見常遇春順利上岸，也爭相鼓譟，紛紛一躍上岸。元兵失了帥，個個心慌意亂，顧不得戀戰，大夥兒棄戈逃跑，死者不可勝數。

朱元璋順利在采石磯安置大軍，論功行賞：『常將軍奮勇爭先，萬將莫敵，攻克采石磯，特拜為正先鋒。』

朱元璋的軍隊，在和州都餓得老眼昏花，上岸之後，忙著搶運糧食，搬到船上，準備運回和州慢慢享用。

朱元璋使個眼色給徐達，徐達二話不說，把船纜一一砍斷，推入急流，兵士急得大呼小叫，朱元璋登高一呼：『前面就是太平府，要什麼有什麼，打下來再說。』

士兵們這一激勵，士氣大振，不一會兒工夫，把太平府攻克，一擁而上，想要好好搶個夠。

可是，朱元璋早有準備，他在街上到處張貼告示：『禁止軍士擄掠，違者軍法處置』，且有巡邏隊，和憲兵一般到處糾察，有一士兵不知死活，動手就搶，立刻被斬首；在朱元璋的嚴明軍紀下，太平府才免遭這一劫。

另外，朱元璋說動當地大戶，捐出些金銀財帛，分賞將士，大夥也豐豐盛盛打了牙祭，由此看來，朱元璋眞是懂得領導藝術。

【第663篇】朱元璋與小青蛇。

朱元璋進討太平府，秋毫無犯，倒眞讓人們吃了一驚。原來，當時不論元軍、紅軍，都是大燒大搶的土匪，從沒見過如此軍紀嚴明的。

有個名叫陶安的讀書人，原籍安徽當塗，考取了元朝的鄉試，因爲家鄉盜賊作亂，逃到了太平府，不巧，太平府也起了戰爭，原先以爲這下子死定了，活該劫數難逃，不想，竟然安然無恙，十分慶幸，也對朱元璋起了強烈的好奇心。

於是，當朱元璋入城之時，陶安便擠在人群之中，想要一睹朱元璋的廬山眞面目。

朱元璋的長相還眞好認，陶安一眼望見，倒抽一口氣，心想：這人長得眞夠醜，頭頂矗起，顴骨高聳，鼻尖下巴皆往上掀。雖然其貌不揚，但是，在相書之中，說這種人是『五嶽朝天，貴不可言』。陶安還是頭一回見到如此貴人。

回去之後，陶安逢人便說：『朱元璋長得是龍姿鳳質，一眼看去，便知非常人也，我輩今有主矣，大家有好日子過了。』

這個話，沒多久，也傳到朱元璋的耳朵裏了，他一聽之下，大樂，立刻把陶安找來，共同商討國是。

陶安見朱元璋有心請教，也就坦誠以告：『今日四海沸騰，豪傑並爭，攻城屠邑，互相雄長。他們的目的，都在掠取財富，沒有撥亂救民安定天下之心。不似您明公，率衆渡江，順天應人，天下可平也。』

陶安的高帽子一戴，朱元璋精神抖擻，乘機向陶安問問意見：『我想取金陵（今南京），你看如何？』

『好！高明！』陶安接著分析：『金陵是帝王之都，龍蟠虎踞，扼長江之險，出兵以臨四方，何方不克，這是老天幫助明公！』

朱元璋讀書不多，見識有限，聽了陶安一席話，發現英雄所見略同，更加肯定自己不凡，對於朝往統一中國當皇帝的美夢，似乎又近了一層。

由於朱元璋出身寒微，祖宗幾代沒一絲一毫可誇耀之處，偏偏中國人，又最講究家世門第，為了彌補此一缺失，他在見過陶安以後，便開始製造大量神話，四處放空氣，為自己造勢。

其中，流傳得最廣的說法是，有一天下午，朱元璋正在打瞌睡，忽然之間，覺得手臂上冰冰的，涼涼的，癢癢的，他也不理，繼續睡他的覺。倒是左右的人，嚇得話都說不出來了，原來有一條青蛇，正繞著朱元璋的脖子往上延伸，快要靠近他的喉頭了，眾人想砍，又怕傷了朱元璋，仔細一瞧，這條青蛇竟然有腳，太奇怪了。

朱元璋悠悠地睜開眼睛，望著蜿蜒而上的蛇，倒也不驚來也不慌，他徐徐地脫下帽子，對著青蛇道：『如果你是神，就把我的帽子當家吧！』說也奇怪，這條青蛇似乎聽懂朱元璋的話，真的乖乖地爬入帽中，朱元璋順手把帽子往頭上一戴。

旁邊有人說：『這不好吧，萬一蛇在腦袋上咬一口。』

另有人接口道：『你別蠢，是神，不是蛇！』不過，他也擔心地提醒朱元璋：『主帥，還是把帽子留在這兒吧！』

朱元璋不理會，自顧自地到營地視察。

視察歸來，他也忘了這件事。經過左右提醒，才把帽子摘了下來，只見青蛇在帽中穿來梭去，自由自在，頗有『賓至如歸』的喜悅，大夥都看得兩眼發直。

到了晚上，大宴賓客，朱元璋把帽子取下，擱在一旁，在嘖嘖稱奇聲中，朱元璋竟然餵青蛇酒，青蛇也老實不客氣地啜飲，於是，朱元璋一口，青蛇一口，互相交換著，把一小盅烈酒喝光了。

青蛇喝完了酒，往神櫝爬去，對著大家冷冷地看著，眼中透著威嚴，叫人心中一懍。

又過了一會兒，青蛇沿著牆壁，升屋而去。

朱元璋宣佈：『送神仙！』

眾人更加確信，朱元璋有神仙之助，確非等閒之輩。

此類傳奇神話，起源也許是朱元璋眞遇到一條小蛇，他膽子大，放在帽中把玩，其他部分，則是有心人故意編造，誇大渲染，用以抬高朱元璋的地位，也確實收到了宣傳效果。

不過，朱元璋的確是膽識過人，他血液之中流竄著冒險的因子。

朱元璋打敗陳兆先以後，收編了陳兆先的軍隊，陳兆先手下有的是大塊頭的壯士，這是陳兆先特別精挑細選，然後加以訓練的貼身保鑣，共有五百名。

朱元璋看著歡喜，便把這五百名壯士當做自己的衛隊。

可是，這五百名壯士始終忐忑不安，怕被舊人排擠，也怕朱元璋不信任，隨時會除掉他們，因此雖然一個個長得像堵牆，說起話來、走起路來，卻是忸忸怩怩的，眼睛也不敢朝人看。

朱元璋看穿壯士們的心事，他也不說破，到了晚上，他對壯士們說：『你們輪流守夜。』於是，壯士們分成幾批排班，守在朱元璋床前。其他舊的老守衛，則被調去做旁的事。

朱元璋把盔甲一脫，往床上一躺，就呼嚕呼嚕打起鼾來，睡得又香又甜，當然這也是個大賭注，壯士們若要圖謀不軌，這可是最佳時刻。

第二天，壯士們對朱元璋能夠如此信任，都覺得十分受用，互相勉勵道：『朱公能夠如此信任，眞夠意思，不但保全你我的性命，還把咱們當心腹，看來是碰到好主子了。』

於是，陳兆先手下，全部對朱元璋死心塌地，盡忠到底。

閱讀心得

【第664篇】朱元璋敬重讀書人。

元朝末年，天下大亂，群雄並起，朱元璋窮和尚出身，條件並不好，他之所以能夠脫穎而出，與他善用讀書人很有關係。

朱元璋頭一個賞識的讀書人，該算是李善長了。他在進軍滁州的路上，定遠人李善長求見。李善長學的是法家政治，頭腦清楚，與朱元璋初次見面，一見如故。

朱元璋是個歡喜結交朋友的人，而且他有個長處，很容易與人打成一片，顯得極熱忱。

他問李善長：『依你之見，四方戰鬥不停，要到那一天，才能夠天下太平，老百姓重新安居樂業？』

李善長誠懇地回答：『秦朝末年，天下大亂，漢高祖劉邦崛起布衣，豁達大度，知人善任，又不會胡亂殺人，短短五年之間，平定了天下。』

接著，李善長語重心長道：『今日元朝綱紀紊亂，天下土崩瓦解，朱公是濠縣人，距離漢高祖沛縣不遠，承受相同的山川王氣，如果能夠學學同鄉，天下也就太平了。』

老實說，在此之前，朱元璋過一天算一天，不敢料想太遠，而且多多少少存有自慚形穢的心理，小土匪出身，還想當皇帝不成。

可是，李善長這番話，激起了他雄心壯志。對啊，漢高祖劉邦不也是平民百姓，照樣當了天子，建立了漢朝天下。誰又能料到朱元璋將來如何呢？不過，劉邦到底如何完成霸業，朱元璋讀書不多，所知有限，倘若有李善長隨時在身邊提醒，拿劉邦當榜樣，豈不甚妙。

於是，朱元璋便提出要求：『你我二人談得投機，不如你就留下，為我掌管書記，協助我成立霸業，你看如何？』

李善長也和中國傳統的讀書人一樣，『士以天下為己任』，他觀察朱元璋頗有大志，也樂意留下來効力。

朱元璋見他答應，十分歡喜，卻也殷殷告誡：『仗要打得好，參謀頂重要，我看多了參謀自認為才高一等，趾高氣揚，總愛在背後說將士們的壞話，攪得雞犬不寧，你要做一個橋樑，調和將士。』

李善長果然不負朱元璋所望，他不但善於協調，而且定計謀，辦糧餉，樣樣在行，朱元璋有了李善長，如魚得水。還曾經惹得老丈人郭子興吃飛醋，想把李善長拉在身邊哩。

從此以後，朱元璋每佔領一個地方，必定訪求當地的讀書人，軟硬兼施，非把人才留著做秘書，當幕僚。

當他打下徽州之時，聽說當地有位老儒，名叫朱升，非常有學問，特地登門拜訪。只見朱升是個瘦瘦小小的老人家，面孔黝黑，完全村民打扮，看不出有什麼特異之處。

朱升不多話，喚家人張羅了一桌小村野食，非常的淡雅爽口，吃完飯後，朱元璋延請出山。

朱升一言不發，在撤去碗碟的飯桌上，鋪好了紙，揮灑了九個大字：

『高築牆，廣積糧，緩稱王』。

朱升先生含笑道：『我把這九個字送給你。』

朱元璋連說：『高見、高見，我一定銘刻在心。』

李善長在旁，也不斷地點頭，表示同意。

當天夜晚，朱元璋與朱升抵足而眠，兩人相談十分愉快，第二天清晨，用罷了清粥小菜，朱元璋再三懇請：『隨我去軍營吧！』

朱升一拱手道：『老朽不才，請萬勿相強！』

朱元璋也就沒有再勉強，倒是把『高築牆，廣積糧，緩稱王』幾個字時刻銘記在心。

待朱元璋統一天下，在南京奠基，建立了明朝，他忽然想起朱升，心中有說不出的思念，正在想如何設法，把朱升請入朝廷，誰知黃門送來一份稟報，正是朱升的來信，上面寫道：『山村教讀遇聖上，九字眞言方得傳；如今天下一統日，何需老儒再出山？』朱元璋看了知道朱升無意做官，只好作罷。

朱元璋初起之時，打著小明王明教的旗號，宣揚明王出世的思想。後來，他與讀書人接觸日多，逐漸領悟要統一中國，還是要靠儒家思想，所以，改喊興復宋室的口號。

當朱元璋打下婺州之後，在衙門豎起兩面黃旗，左邊寫的是『山河奄有中華地，日月重開大宋天』，右邊寫的是『九天日月開黃道，宋國江山復寶圖。』

婺州號稱小鄒魯，原是兩百多年以來的理學中心，經過多年戰亂，學校關門，儒生四散，殘破凋零。

朱元璋爲了表示自己是仁義之師，一入城，立刻延聘當地十三位著名學者，建立郡學，於是，婺州又開始弦歌之聲不絕於耳，朱元璋三個字，在讀書人的心目之中，份量更重了。

閱讀心得

【第665篇】

劉濠計毀黑名單。

朱元璋攻克婺州以後，浙東大概都平定了，他積極地尋訪名士，邀請劉基、宋濂、章溢、葉琛出山，他喜不自勝地說：『我為天下屈就四先生。』在此四人當中，劉基、宋濂是最為有名，尤其是劉基，就是大名鼎鼎的劉伯溫，民間聲望極高。

一般人以為劉伯溫與諸葛亮相同，都是高臥隆中被請出山。其實，劉伯溫在為朱元璋効命之前，他中過元朝的進士，也當過元朝的高官。

劉伯溫原名基，伯溫是他的字，他是浙江青田人。他的曾祖父劉濠，曾經在宋朝擔任翰林掌書一職。

宋朝滅亡以後，青田人林融組織游擊隊反抗元朝，劉濠暗中予以接濟。林融失敗以後，不小心被元朝政府找到名冊。於是，元朝派出使者，根據名冊抓人。

使者來到青田，久聞劉濠是當地大儒，借住一宿。劉濠一方面殷勤招待，準備上好酒菜，一方面盤算該如何把名冊給毀了，以便拯救鄉親。

劉濠不假思索地吩咐僕役：『快，把那隻陳年火腿拿出來蒸了，晚上用來款待嘉賓。』

火腿的歷史，衆說紛紜，有人說，這是宋朝宗澤在無意之中發明的，

宗澤家鄉在義烏，位於金華之東。因此，一直到今天，金華火腿大大有名。另外，東陽縣也在金華之旁，東陽的蔣家，幾乎家家都以製火腿爲業，所以『蔣腿』也頗有名氣。

劉家的廚師，聽說要蒸火腿，他先用刮子磨平表面的油漬，然後用鑿子挖出其中大塊骨頭，再用麻繩一圈圈綑緊，大火沸煮二十分鐘，換小火煮兩個小時，然後改用大火煮滾，如此週而復始多次以後，取火腿最精華的部分，肥肉依稀透明，瘦肉鮮紅勝火，切成半寸小塊，用花雕醇酒大火蒸透。

元朝使者自北方來，他一個下午鼻子翕張，不住猛嗅，『什麼東西如此香？』

到了晚上，用過四個小碟冷盤後，一大盤火腿端上來，他迫不及待夾了一片，豐腴適口，齒頰留香，尤其下酒最佳。

於是，劉濠不斷佈菜敬酒，使者忙得不亦樂乎，無論水晶蝦餅，松鼠黃魚，樣樣妙不可言，只可惜胃納有限，他愈吃愈脹，隨手把繫在腰間的公文袋取了下來。

正在此時，忽聞『失火了！』眾人亂成一團，使者醉醺醺地被拖了出來，轉眼之間，東廂房燒得一乾二淨。當然，搜捕名冊也化爲灰燼。劉濠的機智與慷慨犧牲的精神，救了革命志士，由於劉濠本人是房屋燒毀的受害人，元朝使者也沒懷疑到他，只是遺憾沒盡興，可惜只用過一半的好酒席。

劉伯溫是劉濠最疼愛的小曾孫子，他自小就繼承了家風，急公好義，是非分明，經常奮不顧身。劉伯溫的老師十分誇獎他，經常掛在嘴邊：『這個孩子長大以後，一定可以光耀門楣。』

元朝至順年間，劉伯溫進京趕考，一舉得中進士。他博通經文，尤其擅長於星象之學，有小諸葛孔明的雅號。

當時，方國珍正起兵作亂。方國珍世世代代以販賣私鹽爲業。他的長相奇特，一張臉黑得發亮，伸出手來卻是白嫩嫩的，據說身體也白，又因爲陰險毒辣，有『白狐狸』的綽號，此外，他脚勁強，能與快馬賽跑，不是等閒之輩。

至正八年（公元一三四八年），有個叫蔡亂頭（多麼可笑的名字）的人在海上作亂，方國珍的仇家向官府告了一狀，說方國珍與亂黨有關，這還了得？官府立刻派人搜捕。

方國珍得到消息，怒由心生，先持刀殺了仇家，再與兄弟方國璋、國瑛、國珉亡命海上。由於民衆早已不滿元朝政府，因此，方國珍一呼『千諾，大夥兒當起海盜來了，打劫船隻，霸佔海道，元朝官府派了朵兒只班前來討伐，竟被方國珍抓了起來當人質，脅迫朝廷，硬是討了個定海尉的官職。

元朝廷原想，給了方國珍一官半職，總該可以安撫下來了。豈料，沒多久，方國珍又在溫州叛變，這一回，可不是小小的定海尉能夠滿足他的胃口了。

從此以後，方國珍是屢叛屢降，而政府是屢討屢撫，方國珍不停地玩一反一降的遊戲，官是愈做愈大，簡直不像話。一般民衆看在眼裏，也學得這套升官妙法，紛紛效尤，這當然就加速天下大亂。

劉伯溫對此現象，十二萬分不以為然，他主張重振公權力，用強大兵力阻退方國珍，並且認為『方國珍兄弟首先倡亂，不誅無以懲後。』方國珍之所以官越做越大，除了他擁有雄厚的兵力，抓牢元朝怕事的弱點之外，他還利用官吏的貪婪，逢年過節不停地到處塞紅包。

當方國珍起初聽說劉伯溫反對，先是一拍腦袋：『啊，忘了送他一份厚禮，難怪！』等到劉伯溫把重禮退還，方國珍心下一驚，卻也不慌不忙，把皇帝身邊的人一一打點。

於是，拿了好處的高官，不但關說順帝，照樣給了方國珍官做，並且斥責劉伯溫『擅自作威作福』。

經過這番周折，方國珍更神氣了，曾經有一度，朝廷忍不下這口氣，試圖重振公權力，任命劉伯溫追剿，然而，在方國珍的人情包圍之下，又不了了之。

劉伯溫痛恨公權力不張，也看透了元朝政府沒希望。心灰意冷，遞上辭呈，回到青田老家著書立說。由於劉伯溫在青田，所以方國珍黨羽一向不敢碰青田這塊地方。

【第666篇】傳說中的劉伯溫出山。

話說劉伯溫很痛恨元朝公權力不張，永遠用安撫退讓的方式向方國珍屈服，方國珍的勢力愈來愈大，沿海居民遭殃，劉伯溫有志難伸，一怒之下，回到青田老家，讀書、寫作，不問世事。

朱元璋打下金華之後，久聞劉伯溫大名鼎鼎，遣人攜帶重禮下聘，劉伯溫先是沒有答應。繼而，朱元璋又找孫炎寫了一封文辭並茂的信，這才打動了劉伯溫的心。

劉伯溫初見朱元璋之時，帶來一個貴重的見面禮——時務十八策。這是他長期間研究天下大勢智慧的結晶，對於如何剷平群雄和對抗元朝，有全盤的規劃。

朱元璋一見大喜，立刻命令建築『禮賢館』，做爲劉伯溫的住處。劉伯溫也大生『士爲知己所用』感恩之心，願意效法諸葛亮孔明報答劉備的精神，竭盡所能爲朱元璋獻策。

關於劉伯溫出山這一段，在《高坡異纂》一書中有段故事：

據說，劉伯溫年少之時，曾經捧了一本書，在青田山坡脚下研讀。忽然之間『轟』的巨響，山崖裂開大大的縫隙。

劉伯溫好興奮，摔了書本就往洞裏頭闖。卻聽到洞中傳來恐怖的回聲：

『山中有惡毒，不可進入，不可進入……』若是膽小的，聽到這陣陣陰森森的哭喊，必然抱頭鼠竄。劉伯溫不信邪，逕自往洞裏闖。

經過了一段漆黑、伸手不見五指的山路，眼前豁然開朗，後壁正方出現了一尊白如瑩玉的神像，慈眉善目，藹然可親。劉伯溫看得發呆，忽然神像朝劉伯溫微微一笑，竟然遞過手中的金字牌道：『此乃卯金刀也，可用來敲石。』

劉伯溫謝過了神像，拿起卯金刀朝石上一敲，大石撞裂，其中藏了四冊書，劉伯溫如獲至寶，趕緊取出，正想看清楚石頭裏還有什麼寶貝，不料石壁又緊合起來。

劉伯溫歡天喜地把四冊書帶回家，看了又看，卻怎麼也沒法了解，眞是十分懊惱。不過，劉伯溫可絕對不是輕易會放棄的人，他在閒暇之時，遍遊名山古剎，尋訪異人，非設法把祕笈看懂不可。

有一天，他來到一處幽深山谷，見到一位老道士，胸前垂著一把長長的白鬍子，正在憑几讀書，老道士相貌不凡，頗有幾分仙氣。劉伯溫向前一長揖，懇請老道士指點迷津。

老道士朝著劉伯溫端詳了老半天，把手中一本厚達兩寸的書一揚，挑釁地對劉伯溫說：『小伙子，你如果在十天之中，能夠把這本書背下來，我就教你。否則，教了也是白教。』

劉伯溫雖然覺得老道士的考題太難了，但不服輸的個性讓他勇敢地接受這次考試。結果，劉伯溫一個晚上，就把書背得滾瓜爛熟。老道士不斷驚呼：『天才啊！天才！』於是他爲劉伯溫講授石壁中的奇書，一共講了七天七夜，劉伯溫就成了兵法大師。

自然，上面這段故事是神話。這則故事極可能是脫胎自張良遇到黃石老人的故事。

劉伯溫有沒有和武俠小說的主角一般，遇到異人，得到祕笈，不得而知。不過，他精通天文、兵法，又能觀察天象，則是事實。元末大亂，他在尋找明主是可想而知的。因此，民間流傳，劉伯溫在遇到朱元璋之前，也在尋訪雄才大略的明主。

據說，劉伯溫曾經穿上道袍，打扮成風水先生的模樣，四處流浪。他到了紹興，聽說一個極有名的士人，名叫王冕，王冕白天放牛，晚上在廟裏畫荷花，極有學問，深得家鄉人的敬重。

劉伯溫就找到寺廟，與王冕促膝談天，一談之下，十分投機。王冕的確是個很有學養的人，一派斯文，彬彬有禮。

劉伯溫心想：『莫非，他就是我所要找的明主？』可是，王冕文謅謅的，似乎少了幾分領袖人物應該具備的豪氣。

有一天，劉伯溫與王冕在竹林裏散步聊天，談得非常融洽。突然之間，外頭有人放爆竹，『砰』的一聲，王冕嚇得臉孔發白，微微地顫抖。

劉伯溫見此光景，不免長長嘆了一口氣，王冕回頭問：『你怎麼了？』

『沒什麼。』劉伯溫淡淡的一笑。

第二天，劉伯溫離開了紹興，他對王冕的評價是：『膽量欠大。』

接著，劉伯溫又到了海寧，當地有個賈銘，也正在招兵買馬，準備大幹一場。

劉伯溫去拜訪賈銘，發現他正是新廈落成，裝潢得頗爲富麗。

劉伯溫存心試賈銘一試，他坐下來，端起茶，喝了一口，就開始大嘔特嘔，吐得到處都是穢物。

賈銘眼中冒火，拂袖而去，回到後堂，喚來家人，又洗又刷又沖，劉伯溫又搖搖頭，心中暗想：『度量忒小。』

眞實中的王冕，其實是畫梅不畫荷，與儒林外史一書中描寫的不一樣。

王冕倒的確是個有學問的人，當他隱居在九里山之時，曾經仿效《周官》一書，寫了一套治國平天下的書，並且在書首題：『假如遇到明主，用這套書中的方法，那麼古代伊尹的事業可以再現。』

朱元璋也久聞王冕之名，把他找來，在幕府裏擔任諮議參軍。王冕正高興有志能伸，想要施展抱負，可惜，沒多久，一病而死，所以王冕在政治上沒有表現。

閱讀心得

閱讀心得

閱讀心得

歷代・西元對照表

朝　　代	起迄時間
五帝	西元前2698年～西元前2184年
夏	西元前2183年～西元前1752年
商	西元前1751年～西元前1123年
西周	西元前1122年～西元前 771年
春秋戰國(東周)	西元前 770年～西元前 222年
秦	西元前 221年～西元前 207年
西漢	西元前 206年～西元 8年
新	西元 9年～西元 24年
東漢	西元 25年～西元 219年
魏(三國)	西元 220年～西元 264元
晉	西元 265年～西元 419年
南北朝	西元 420年～西元 588年
隋	西元 589年～西元 617年
唐	西元 618年～西元 906年
五代	西元 907年～西元 959年
北宋	西元 960年～西元 1126年
南宋	西元 1127年～西元 1276年
元	西元 1277年～西元 1367年
明	西元 1368年～西元 1643年
清	西元 1644年～西元 1911年
中華民國	西元 1912年

國家圖書館出版品預行編目資料

全新吳姐姐講歷史故事. 30. 元代－明代／吳涵碧著. --初版.--臺北市；皇冠，1995〔民84〕
面；公分（皇冠叢書；第2387種）
ISBN 978-957-33-1166-9（平裝）
1. 中國歷史

610.9 84000129

皇冠叢書第2387種
第三十集【元代－明代】

全新吳姐姐講歷史故事〔注音本〕

作　者—吳涵碧
繪　圖—劉建志
發 行 人—平雲
出版發行—皇冠文化出版有限公司
台北市敦化北路120巷50號
電話◎02-27168888
郵撥帳號◎15261516號
皇冠出版社(香港)有限公司
香港銅鑼灣道180號百樂商業中心
19字樓1903室
電話◎2529-1778　傳真◎2527-0904
印　務—林佳燕
校　對—皇冠校對組
著作完成日期—1992年01月01日
香港發行日期—1995年09月25日
初版一刷日期—1995年10月01日
初版三十二刷日期—2021年05月
法律顧問—王惠光律師
有著作權・翻印必究
如有破損或裝訂錯誤，請寄回本社更換
讀者服務傳真專線◎02-27150507
電腦編號◎350030
ISBN◎978-957-33-1166-9
Printed in Taiwan
本書定價◎新台幣150元／港幣45元

• 皇冠讀樂網：www.crown.com.tw
• 皇冠Facebook：www. facebook.com/crownbook
• 皇冠Instagram：www.instagram.com/crownbook1954/
• 小王子的編輯夢：crownbook.pixnet.net/blog